Un délicieux chantage

ANNIE WEST

Un délicieux chantage

collection *Azur*

éditions **H HARLEQUIN**

Collection : Azur

*Cet ouvrage a été publié en langue anglaise
sous le titre :*
AN ENTICING DEBT TO PAY

Traduction française de
FREDERIQUE MALLET

HARLEQUIN®
est une marque déposée par le Groupe Harlequin
Azur® est une marque déposée par Harlequin S.A.

ÉDITIONS HARLEQUIN
83-85, boulevard Vincent-Auriol, 75646 PARIS CEDEX 13.
Service Lectrices — Tél. : 01 45 82 47 47

www.harlequin.fr
ISBN 978-2-2803-0751-2 — ISSN 0993-4448

1.

— Je crains que le dernier audit de votre compte d'investissement n'ait révélé une… irrégularité.

Jonas remarqua que Charles Baker, son directeur financier, semblait mal à l'aise.

— Je vous écoute…

Baker fit glisser son ordinateur sur le bureau.

— Regardez les deux premières lignes de ce tableau.

Il s'agissait de deux transactions de plusieurs milliers de livres sterling chacune dont Jonas ne pouvait pas être l'auteur car il réglait ses dépenses personnelles à partir d'un autre compte.

— Qui a eu accès à mon compte ?

— Vous vous souvenez, j'imagine, qu'il avait été ouvert à l'origine pour la société familiale ?

Jonas ne risquait pas de l'oublier. Son père avait eu beau se poser en partenaire principal de la société et lui prodiguer ses conseils sur la manière de gérer une entreprise, tous deux savaient que c'était Jonas qui, grâce à son ambition et son flair infaillible pour dénicher les meilleurs placements, avait remis à flot l'entreprise familiale. Piers s'était contenté de faire acte de présence et de jouir de ce succès nouveau pour lui, jusqu'à ce que père et fils empruntent des chemins différents.

— Tout à fait, acquiesça Jonas, pour qui ce souvenir avait un goût amer.

— Les transferts ont été effectués à l'aide d'un chéquier… censé avoir été détruit.

Barker semblait très mal à l'aise.

— Il s'avère que la signature de votre père…

Jonas laissa glisser son regard sur la vue imprenable que son bureau offrait sur la City.

Son père. Jonas ne l'avait plus appelé ainsi depuis le jour où il avait compris quel type d'homme était Piers Deveson. Malgré ses grands discours sur l'honneur et le respect dû à leur patronyme, Piers n'avait pas été un modèle de vertu et il semblait avoir trouvé un moyen illégal d'avoir accès à ses biens. Etonnant qu'il ne l'ait pas fait plus tôt.

— Nous avons des raisons de croire qu'il ne s'agit pas de la sienne. Regardez.

Baker lui tendit deux photocopies de chèques portant un parafe élaboré mais différent de la signature de Piers Deveson.

— En outre, le deuxième chèque a été rédigé le lendemain du décès de votre père.

Pendant des années Piers, qui vivait dans un luxe tapageur avec sa maîtresse, une intrigante, avait été une source d'irritation constante et de honte pour la famille. En apprenant la mort de son père, Jonas n'avait rien ressenti, si ce n'est un sentiment de vide. Jusqu'à cet instant…

— Ce n'est donc pas lui.

Sa voix calme dissimulait les émotions qui faisaient rage en lui.

— Non, nous sommes remontés jusqu'à l'auteur, une personne peu rusée, vue l'anomalie évidente dans la date.

Barker parlait vite, de toute évidence pressé d'en finir.

— Il s'agit d'une certaine Mme Ruggiero, domiciliée à Paris.

L'adresse inscrite sur le papier que Barker tendit à

Jonas était celle de l'appartement que Piers Deveson avait partagé pendant les six dernières années de sa vie avec sa maîtresse, Silvia Ruggiero.

Jonas sentit son pouls s'accélérer. Il se souvenait parfaitement de cette belle femme, dont même son uniforme strict de gouvernante du manoir des Deveson ne parvenait pas à dissimuler la vibrante sensualité.

Quelques semaines seulement après son arrivée au manoir, le père de Jonas s'était enfui avec elle pour l'installer dans un appartement parisien luxueux et avait tourné le dos à sa famille.

Quatre mois plus tard, la mère de Jonas avait été retrouvée morte. Une overdose accidentelle de médicaments selon le médecin légiste, mais Jonas se doutait qu'après avoir été trompée pendant des années par l'homme qu'elle aimait, sa mère n'avait pu supporter cet ultime affront et s'était donné la mort.

Sentant la fureur l'envahir, il prit une longue inspiration. Cette femme, responsable du décès de sa mère, avait l'impudence de penser qu'elle pouvait continuer de profiter de la famille même après la mort de son amant !

Pendant six ans, il avait combattu son désir de vengeance en refusant tout contact avec le couple et en se noyant dans le travail.

Cette fois, c'en était trop !

— Laissez-moi faire, Charles. Et inutile de signaler la fraude, je préfère régler cette affaire en personne.

Ravenna jeta un coup d'œil autour d'elle. Sa mère avait toujours été experte dans l'art de joindre les deux bouts et n'avait pas fait exception cette fois-ci : la plupart des meubles et bibelots qui se trouvaient dans l'appartement étaient bien des copies.

Ravenna avait découvert à son retour de Suisse que

sa mère lui avait caché le récent décès de Piers ainsi que leurs problèmes financiers afin de ne pas perturber sa convalescence. La vie dans l'appartement huppé de la célèbre place des Vosges avait jusque-là été facile, bien différente des années pendant lesquelles sa mère et elle avaient parfois eu à peine de quoi se nourrir et se chauffer. Forte de cette expérience, lorsque l'argent avait commencé à manquer pendant les derniers mois de vie de son amant, Silvia avait vendu les antiquités de valeur, les remplaçant par des copies afin de sauver les apparences et de maintenir leur train de vie si important aux yeux de Piers.

A son retour, ayant trouvé sa mère usée et rongée par le chagrin, Ravenna, inquiète, l'avait envoyée se reposer chez une amie à Rome, préférant s'occuper elle-même de vider l'appartement parisien.

Elle retourna à l'inventaire, soulagée d'avoir demandé l'aide d'un expert pour évaluer les quelques pièces authentiques qui restaient.

Jonas pressa la sonnette pour la seconde fois. Suivant son impulsion, il avait décidé de se rendre sur-le-champ à Paris pensant que, quelques semaines seulement après le décès de Piers, Silvia Ruggiero serait en état de faiblesse, voire aux prises avec les créanciers. C'était le moment idéal pour la confondre.

Une voix de femme un peu rauque résonna dans l'Interphone.

— Oui ?

— Je viens voir Mme Ruggiero.

— Monsieur Danjou ? Montez, je vous prie.

Jonas pénétra dans le vaste hall dallé de marbre et, ignorant l'ascenseur, monta d'un pas sportif les marches menant au nid d'amour de son père.

La porte s'ouvrit au premier coup de sonnette. Passant devant une mince jeune femme, il entra et, ne voyant nulle trace de Silvia Ruggerio, avança vers le salon.

— Vous n'êtes pas M. Danjou…

— Non, confirma-t-il en se retournant.

Une étrange émotion s'empara de lui en reportant son attention sur la jeune femme.

Mince dans des vêtements sombres, trop larges pour elle au point de lui donner l'air fragile, une bouche pulpeuse, des pommettes hautes, un nez droit, de longs cils noirs et des yeux incroyablement lumineux, éclairant son visage en forme de cœur : elle était saisissante.

Jonas sentit son pouls s'accélérer tandis qu'une vague de chaleur lui traversait le corps.

Depuis quand la vue d'une femme, même très belle, avait-elle un tel effet sur lui ?

— Et vous êtes… ? demanda-t-elle d'un ton sec.

— Je cherche Mme Ruggiero. Silvia Ruggiero.

— Aviez-vous rendez-vous avec elle ?

— Non.

Avec un petit sourire, il ajouta :

— Mais je suis sûr qu'elle va me recevoir.

La jeune femme, presque aussi grande que lui, s'avança aussitôt pour lui bloquer l'entrée du salon.

— Vous êtes la dernière personne qu'elle accepterait de recevoir, rétorqua-t-elle avec assurance.

— Vous savez qui je suis ? demanda Jonas en la fixant, le regard dur.

— Je viens de vous reconnaître.

En la voyant déglutir, il comprit qu'elle n'était pas aussi assurée qu'elle en avait l'air. Voilà qui était intéressant.

Jonas avait l'habitude d'être reconnu, la presse publiant souvent des photos de lui, mais son instinct lui disait qu'il avait déjà rencontré cette femme par le passé.

— Et vous êtes ?

— Pas digne d'être reconnue, de toute évidence, mais peu importe.

Jonas tressaillit et redressa les épaules, sentant son regard glisser sur sa poitrine.

— Mme Ruggiero n'est pas là.

— Dans ce cas, je vais l'attendre, murmura-t-il, maîtrisant un inexplicable désir de toucher sa joue afin de voir si sa peau était aussi douce qu'elle le paraissait.

Surpris par sa propre réaction, il se ressaisit avant d'ajouter d'une voix soudain rauque :

— Je suis là pour une affaire urgente.

Elle recula soudain d'un pas.

— Dans ce cas vous pouvez en discuter avec moi, lança-t-elle en entrant dans le salon.

Jonas lui emboîta le pas, furieux de constater qu'il était en train de se laisser distraire par le léger balancement de ses hanches et son parfum de cannelle.

Elle s'assit dans un fauteuil près d'une porte-fenêtre drapée de lourds rideaux d'un jaune passé. Jonas resta debout, constatant que chaque minute qui s'écoulait la mettait plus mal à l'aise. Qui qu'elle soit, elle était de toute évidence de mèche avec Silvia Ruggiero.

— Pourquoi discuterais-je de mes affaires avec une étrangère ?

Embrassant du regard l'ameublement du salon, il avait tout de suite constaté que la plupart des meubles et bibelots étaient de vulgaires copies. Il reconnaissait bien là le goût ostentatoire de son père.

— Je ne suis pas une étrangère, répliqua-t-elle d'un ton sec. Si vous cessiez un instant votre inventaire grossier, vous vous en rendriez compte.

Surpris, Jonas sentit une chaleur inhabituelle lui embraser le visage. Elle avait raison, son attitude était impolie, calculée pour déstabiliser mais il n'était pas là après tout pour se faire bien voir de la maîtresse de son père ou de l'une de ses amies.

Il se retourna pour lui faire face.

— Pourriez-vous alors me dire qui vous êtes ?

— Je suis Ravenna, la fille de Silvia.

L'expression stupéfaite de Jonas fit à Ravenna l'effet d'une gifle.

Elle avait été une enfant maladroite, trop grande pour son âge, affublée d'un nom exotique et d'une voix rauque qui détonnaient dans son école de la campagne anglaise. Lorsque les gens la croisaient avec sa mère, dotée d'une incroyable beauté, les plus aimables la qualifiaient de « différente » ou « étonnante ». Quant aux moins aimables, au pensionnat où sa mère avait réussi à l'envoyer au prix de grands sacrifices, elle avait préféré oublier leurs commentaires.

Elle aurait cependant pensé que Jonas se serait souvenu d'elle, même si elle portait encore des tresses la dernière fois qu'ils s'étaient rencontrés.

Il est vrai qu'il lui avait fallu un petit moment pour reconnaître en cet intrus suffisant, à l'élégance froide, le jeune homme qui l'avait traitée avec douceur et compréhension le jour où il l'avait découverte cachée dans les écuries, en train de ruminer son chagrin. A ses yeux éblouis d'adolescente il était apparu tel un demi-dieu, puissant, rassurant et incroyablement sexy.

Qui aurait pu penser qu'un homme doté d'un tel charme puisse devenir aussi antipathique ?

Seul son sex-appeal était inchangé. Avec ses épais cheveux noirs, ses larges épaules et sa poitrine musclée, Jonas était le type d'homme à faire perdre la tête aux femmes.

Comment pouvait-elle le trouver attirant alors qu'il se

comportait de façon si grossière et agressive avec elle ? Il avait beau être séduisant et habitué à commander, elle n'avait aucune raison d'accepter son autorité.

— De quoi souhaitez-vous discuter avec ma mère ? demanda-t-elle en croisant les jambes dans l'espoir de paraître détendue.

— Quand sera-t-elle de retour ? s'enquit-il d'un ton impatient.

— Si vous n'êtes pas disposé à vous montrer courtois, il vaut mieux que vous partiez.

Sentant son énergie diminuer et voulant à tout prix éviter que le fils de Piers ne perçoive son état de faiblesse, Ravenna se leva. Elle avait assez de soucis sans devoir supporter en plus cet homme arrogant.

Elle se dirigeait déjà vers la porte lorsqu'il répondit.

— C'est une affaire d'ordre privé.

Faisant alors demi-tour, Ravenna aperçut son regard dur et ses lèvres serrées. Cela n'augurait rien de bon, aussi choisit-elle de protéger Silvia.

— Ma mère n'est pas à Paris en ce moment. Que puis-je faire pour vous ?

Il s'avança vers elle, l'air menaçant.

— Allez-vous enfin me dire où elle est ?

Malgré la chaleur qui l'avait envahie en le sentant si proche d'elle, Ravenna serra les poings. Son attitude était inacceptable.

— Je ne suis pas à votre service, rétorqua-t-elle d'une voix cependant posée. Ma mère a peut-être travaillé pour votre famille par le passé, mais cela ne vous donne aucun droit sur moi.

— Sur vous, peut-être…

Sa douce voix de baryton était lourde de menace.

— Que voulez-vous dire ?

— Votre mère a de sérieux ennuis.

Remarquant une lueur impitoyable dans son regard gris acier, Ravenna se mit à trembler.

— Et vous n'êtes pas venu pour l'aider, n'est-ce pas ?

Son rire froid confirma le pressentiment de Ravenna qui sentit un frisson lui parcourir le dos.

— Pas vraiment !

Il marqua une pause, semblant savourer cet instant.

— Je suis ici pour m'assurer qu'elle aille en prison pour délit de fraude.

2.

Ravenna eut l'impression que la pièce se mettait à tourner autour d'elle et, prise de panique, elle tendit la main pour retrouver l'équilibre.

Les derniers mois avaient été terriblement éprouvants, l'obligeant à tester les limites de son endurance. Rien pourtant ne l'avait préparée à la haine qu'elle lisait sur le visage de Jonas Deveson.

Soudain, elle comprit qu'il était résolu à envoyer sa mère en prison.

Une main aux longs doigts fins recouvrit soudain son poignet, transmettant une onde de chaleur brûlante à sa peau frissonnante.

Stupéfaite, Ravenna découvrit qu'en cherchant à se retenir elle s'était agrippée au revers de la veste de Jonas qui la tenait à présent d'une main ferme.

— Vous vous sentez mal ?

La voix de Jonas s'était radoucie, exprimant même une certaine inquiétude. Ravenna, remise de son bref malaise, se dirigea vers la fenêtre.

— Ravenna ?

Elle sursauta, se souvenant du jour lointain où il l'avait appelée par son prénom : elle avait alors pensé que personne d'autre ne pourrait jamais le prononcer de façon aussi sensuelle. A l'école, son nom avait toujours été sujet à plaisanteries et elle était habituée à être affublée de sobriquets. Troublée, elle réalisa que Jonas était encore capable de lui donner une sonorité spéciale.

— Oui ?

— Est-ce que vous vous sentez bien ?

Sentant la voix de Jonas plus proche, Ravenna se raidit.

— Aussi bien que possible après vous avoir entendu menacer de faire incarcérer ma mère !

Elle se tourna à contrecœur, croisant le regard impénétrable de Jonas.

— Qu'est-elle censée avoir fait ?

— Pensez-vous que je me déplacerais jusqu'*ici* sur une simple supposition ? annonça-t-il d'un ton dédaigneux.

Ravenna retint son souffle, incapable de croire que sa mère ait pu agir de façon répréhensible, mais persuadée que seules des circonstances exceptionnelles avaient pu décider Jonas Deveson à rencontrer Silvia Ruggiero.

— Il semblerait que la colère vous aveugle.

Jonas haussa les sourcils, surpris que Ravenna lui tienne tête.

— Vous méprisez ma mère depuis des années, ajouta-t-elle, et croyez avoir enfin trouvé un moyen de la punir d'être tombée amoureuse de votre père.

Elle comprit en voyant les traits crispés de Jonas qu'elle avait touché une corde sensible.

— Si vous vous imaginez que sans Piers pour la défendre elle devient une proie facile, détrompez-vous ! Elle n'est pas seule et vous feriez bien de vous en souvenir.

— Ah bon ? railla-t-il, elle a déjà trouvé un nouveau protecteur ? Elle n'a pas perdu de temps !

Sans même s'en rendre compte, Ravenna avait bondi sur Jonas et se trouvait soudain si près qu'elle vit ses pupilles se dilater au moment où sa main ouverte s'approchait de sa joue.

Il lui attrapa le poignet au vol, le tirant si haut qu'elle se retrouva sur la pointe des pieds, penchée vers lui.

L'odeur de la peau de Jonas mêlée à un parfum frais et citronné la troubla, autant que la chaleur de son corps, à quelques centimètres du sien.

Tandis qu'il la fixait avec intensité, elle comprit qu'elle s'aventurait en terrain dangereux et que cela n'avait rien à voir avec le danger qui menaçait sa mère.

Elle tenta alors de se dégager mais il resserra son emprise.

— Personne n'a jamais osé lever la main sur moi.

— Et moi, je ne laisserai personne insulter ma mère.

Croisant son regard impitoyable, elle comprit qu'il serait inflexible et frissonna de peur.

— Nous sommes alors dans une impasse, mademoiselle Ruggiero.

— Cela ne vous donne pas le droit de faire usage de votre force, rétorqua-t-elle, à moins que vous n'ayez quelque chose à prouver.

Soulagée, elle sentit qu'il la lâchait.

— Je tiens à préciser que ma mère aimait votre père.

— Vous vous attendez à ce que je vous croie ? s'exclama Jonas avec un sourire incrédule. Il était clair aux yeux de tous qu'elle avait une ambition dévorante et recherchait un riche amant.

— Ma mère n'a jamais…

— Piers était bien plus âgé, avait une famille, une vie confortable et le respect de ses pairs. Croyez-vous qu'il aurait abandonné tout cela si elle ne l'y avait pas poussé ?

Ravenna hésita.

— Vous ne croyez donc pas en l'amour ?

— En quoi ?

Jonas eut une petite moue ironique.

— Il appréciait de s'afficher avec elle de la même manière qu'il aimait faire étalage de ses autres possessions.

Il dirigea alors son regard vers un Cézanne accroché

au mur que Ravenna savait être une copie. A son sourire railleur, elle comprit qu'il s'en était déjà aperçu.

— Ils n'avaient rien en commun à part l'amour du luxe et de l'oisiveté. Pourquoi aurait-elle continué de travailler en tant que gouvernante alors qu'elle pouvait être entretenue royalement en échange de…

— Je ne vous permets pas ! l'interrompit Ravenna, écœurée.

Il haussa les sourcils.

— Vous n'avez plus l'âge de croire aux contes de fées, Ravenna !

— C'en est assez ! s'exclama-t-elle en levant la main pour lui imposer le silence. Nous ne serons jamais d'accord là-dessus alors dites-moi plutôt ce qui vous a amené ici.

Sentant la colère le gagner et ses mains se mettre à trembler, Jonas prit le temps de se calmer et de retrouver son légendaire sang-froid.

— Alors ? J'attends…

Il se tourna et l'observa.

Ravenna Ruggiero… Il n'aurait jamais reconnu en elle l'adolescente aux joues ruisselantes de larmes dont il se souvenait. A l'époque, elle était dégingandée, et même si ses traits encore enfantins auguraient de sa future beauté, c'était surtout sa voix grave et déjà sensuelle qui l'avait troublé.

Il devait reconnaître que Silvia Ruggiero était une très belle femme, mais sa fille, bien qu'habillée de vêtements trop amples, avait une élégance et une grâce qui contrastaient avec la sensualité de sa voix, tout en la magnifiant ; sans parler de son attitude insolente…

La sentir contre lui, ses seins le touchant presque,

avait réveillé en lui des sensations depuis longtemps endormies…

— M'avez-vous entendue ?

Il se maudit d'avoir ainsi laissé dériver ses pensées.

— Vous voulez vraiment savoir ce que votre mère a fait ? Elle a volé de l'argent. Le mien.

Il eut la satisfaction de voir Ravenna écarquiller les yeux.

Qu'elle ait la témérité de défendre Silvia l'exaspérait. Cette dernière avait toujours été attirée par le luxe et en avait profité pour faire main basse sur la fortune de son père.

Jonas se souvint du jour où, arrivé à l'improviste à Deveson Hall, il avait surpris la nouvelle gouvernante dans la suite de sa mère, face au miroir, tenant devant sa gorge un collier de saphirs. Loin d'être gênée, elle avait ri, lui expliquant qu'aucune femme n'aurait pu résister à une telle tentation, avant de reposer la parure et de se remettre au travail.

— Impossible, rétorqua Ravenna, abasourdie. Elle ne ferait jamais cela.

— Vous croyez ça ?

Il reprit son observation de la pièce. De toute évidence, l'argent s'était fait si rare que son père avait été obligé de se séparer des pièces de valeur.

— J'en suis persuadée, répondit-elle avec une assurance qui l'exaspéra.

— Comment expliquez-vous alors qu'elle ait imité la signature de mon père sur un chèque qui n'aurait, qui plus est, jamais dû se trouver entre ses mains ?

— Pourquoi accuser ma mère ?

— Piers devait garder jalousement ce chéquier, croyez-moi, afin que personne n'y touche. Je suis certain que, si nous cherchons bien, nous allons le retrouver.

— Il n'est pas question de fouiller cet appartement. Et

quand bien même il serait ici, qui vous dit qu'il ne s'agit pas de la signature de Piers ? Son écriture a peut-être changé quand il est tombé malade.

Jonas secoua la tête.

— Impossible, à moins que vous ne m'expliquiez comment il a fait pour encaisser un chèque le lendemain de son décès.

— Je ne vous crois pas.

Sa voix n'était plus qu'un murmure.

— Ce que vous croyez m'est égal.

Ce qui était faux, car la foi inébranlable de Ravenna en sa mère le touchait malgré lui, peut-être parce qu'il n'avait jamais connu une telle loyauté dans sa propre famille.

Piers avait été un père absent, passant le plus clair de son temps en dehors du manoir. Quant à sa mère, délaissée par un mari qui ne l'avait épousée que pour son argent, elle était trop dépressive pour s'occuper de lui…

Jonas sortit de sa poche une photocopie des chèques.

— Tenez, dit-il en les lui tendant.

Voyant que les mains de Ravenna se mettaient à trembler, sa satisfaction de l'avoir déstabilisée se teinta de culpabilité. Il avait été injuste de déverser sa rage sur elle et s'était comporté comme un goujat en faisant irruption dans l'appartement, tellement concentré sur ses propres émotions qu'il n'avait pas même songé au choc qu'il lui infligeait.

— Voulez-vous vous asseoir ? demanda-t-il avec empressement.

Elle garda la tête penchée sur le document qu'elle tenait entre ses mains tremblantes.

Bon Dieu ! Etait-elle en état de choc ?

Il s'approcha pour tenter de voir son visage, mais ne remarqua que ses mâchoires serrées et son parfum de femme mêlé à une chaude odeur de cannelle.

Il prit une lente inspiration, prenant pour de la honte la chaleur qui l'avait envahi. Il était impensable qu'il puisse éprouver le moindre désir pour la fille de la femme qui avait détruit sa mère !

— Ravenna ? demanda-t-il d'une voix hésitante.

Elle leva la tête mais détourna le regard.

— Vous vous trompez, lâcha-t-elle. Silvia n'a rien à voir avec cela.

— Cessez de nier. J'en ai la preuve.

— Ce n'est pas elle qui a imité la signature ! lança-t-elle en redressant les épaules.

Jonas secoua la tête, inquiet de la tournure qu'avait prise cette discussion.

— Dites-moi simplement où elle est, je verrai cela avec elle.

— Je vous ai déjà dit qu'elle n'y est pour rien.

Elle releva le menton et le regarda droit dans les yeux avant d'ajouter :

— C'est moi qui ai pris votre argent.

3.

Le cœur de Ravenna s'emballa lorsqu'elle vit Jonas se figer. Craignant qu'il ne la croie pas si elle laissait transparaître les émotions qui l'assaillaient, elle réussit à soutenir son regard.

Il fallait qu'il la croie !

La révélation de Jonas lui avait permis de comprendre que la prise en charge financière de ses soins médicaux et de sa longue convalescence dans une clinique suisse réputée, qu'elle avait cru devoir à un élan de générosité de la part de Piers, était en fait l'œuvre de sa mère : Silvia avait enfreint la loi pour lui venir en aide.

Ravenna se souvint de la façon dont sa mère avait insisté pour qu'elle aille se reposer dans cet établissement. Elle était si lasse qu'elle avait fini par céder, à la seule condition de rembourser son séjour jusqu'au dernier centime dès qu'elle aurait repris son travail.

Ce n'est qu'en arrivant dans l'appartement qu'elle avait compris que la situation financière de Piers et Silvia ne leur permettait pas de débourser une telle somme. Elle s'était sentie coupable en découvrant qu'ils avaient dû vendre leur précieux mobilier pour l'aider, mais l'idée que sa mère ait pu dérober de l'argent ne l'avait pas effleurée un seul instant !

Ravenna savait que Silvia s'était toujours sacrifiée pour elle, mais de là à prendre ce qui ne lui appartenait pas…

— Vous mentez ! lança Jonas.

— Ce n'est pas dans mes habitudes, rétorqua-t-elle en relevant le menton.

Ce qui était vrai, mais expliquait aussi la raison pour laquelle elle n'avait pas réussi à le convaincre. Elle devait pourtant y parvenir coûte que coûte, car la perspective d'aller en prison ne manquerait pas d'anéantir sa mère, déjà effondrée par le décès de Piers.

Elle éprouva un instant la tentation de lui révéler les raisons qui avaient poussé sa mère à voler cet argent et de faire appel à sa clémence, mais Jonas Deveson semblait sans pitié.

La sensibilité dont il avait fait preuve avec elle bien des années auparavant avait disparu. Pendant les six ans que Silvia avait passés avec Piers, il avait refusé de voir son père, préférant accumuler haine et rancune envers le couple.

Ravenna devait donc garder ce secret pour elle. Si sa mère apprenait que la fraude avait été découverte, elle s'empresserait d'avouer et s'attirerait les foudres de Jonas Deveson.

— Cela ne vous ressemble pas de voler de l'argent, Ravenna. Ce serait plutôt du style de votre mère.

En plus de haïr Silvia, il se targuait de la connaître !

— Je ne vois pas ce qui vous permet d'affirmer cela !

— J'ai un don pour cerner la personnalité des gens.

Ravenna n'en doutait pas, et se devait d'être convaincante.

Décidant que l'attaque était la meilleure façon d'ébranler la certitude de Jonas, elle fit un pas en avant et posa un doigt accusateur sur sa poitrine.

— Inutile de prétendre que vous connaissez ma mère. Vous ne viviez plus à Deveson Hall lorsque nous y sommes arrivées.

— Je suis pourtant persuadé que vous n'êtes pour rien dans cette histoire.

— Vous ne savez rien de moi.

— Je n'en serais pas si sûre, à votre place.

Il referma les doigts autour des siens.

— Je sais que vous détestiez le collège, en particulier les maths et les sciences, que vous aviez envie de vous enfuir mais restiez par amour pour votre mère.

Ravenna écarquilla les yeux.

— Vous vous souvenez de cela ?

— Vous détestiez devoir jouer au basket-ball sous prétexte que vous étiez très grande et rêviez d'être menue, blonde, et de faire partie d'une famille nombreuse au patronyme bien anglais.

Tout cela était vrai. Ses camarades de classe la traitant comme une étrangère, Ravenna avait pendant des années rêvé d'être comme les autres.

— Et vous n'aimiez pas la façon dont l'un des jardiniers vous regardait.

Ravenna s'empourpra. Prise entre l'enfance et l'âge adulte, elle ne savait pas qui elle était, cet été-là.

Cela ne l'avait pourtant pas dérangée que Jonas la regarde avec insistance et repousse même une mèche rebelle de son visage.

— Vous avez bien plus de souvenirs que moi de ce jour-là, fit-elle remarquer.

C'était son second mensonge de la journée.

— Vous n'avez pas beaucoup changé.

— Pourtant vous ne m'avez pas reconnue !

Elle chercha à reculer mais il ne relâcha pas son étreinte.

— Je ne pourrais pas en dire autant de vous.

Le ton de Ravenna indiquait de façon très claire qu'il ne s'agissait pas d'un compliment. Autant le jeune homme séduisant, d'une gentillesse et d'une patience inattendues, l'avait autrefois charmée, autant l'homme dur, suffisant et irascible qui se tenait à présent devant elle lui semblait détestable.

— Nous ne sommes pas ici pour parler de moi…

Elle soutint son regard sans ciller mais cette discussion éprouvante entamait le peu de forces qui lui restaient.

— … mais de l'argent que vous m'avez volé, poursuivit Jonas tout en resserrant les doigts autour de sa main.

Ravenna retint son souffle, attendant la sentence.

Jonas n'était pas assez naïf pour se laisser attendrir par l'air fragile de Ravenna, mais le souvenir de son innocence et de son honnêteté le faisait hésiter. Il lui était plus facile de croire que Silvia avait tout manigancé, et laisser ainsi libre cours à la colère qu'il avait gardée enfouie pendant si longtemps.

Un petit sourire ironique lui monta aux lèvres. Qui aurait cru qu'il souhaite conserver encore quelques illusions ?

— Vous affirmez avoir libellé ces chèques ?

Il sentit une tension dans sa main et résista à la tentation de lui caresser le poignet.

Elle acquiesça d'un signe de tête.

— Comment avez-vous eu accès à ce chéquier ? Vous ne viviez pas avec eux, n'est-ce pas ?

— Non, mais…

En la voyant hésiter et détourner les yeux, Jonas pensa qu'elle lui cachait quelque chose.

— Je leur rendais souvent visite. Ma mère et moi avons toujours été très proches.

Avait-elle pris Silvia comme modèle et appris comment profiter des hommes ?

Cette idée le révulsait.

— Vous me faites mal !

Jonas desserra son étreinte sans toutefois la lâcher, déterminé à tirer cette affaire au clair.

— Pourquoi aviez-vous besoin de cet argent ?

— Vous plaisantez, n'est-ce pas ?

Son ton insouciant et blasé lui rappela celui des jeunes nantis n'ayant jamais travaillé de leur vie. Chez elle il sonnait pourtant faux.

Un soupçon s'insinua en lui.

Il l'attira tout contre lui et sentit son corps se tendre. Parfait ! Il voulait la déstabiliser.

— Je voulais avoir une belle vie, lança-t-elle soudain, et je devais aussi faire face à certaines dépenses.

— De quelle sorte ?

— Pour satisfaire mes besoins, répondit-elle en détournant les yeux.

La gorge de Jonas se noua.

— Vous vous droguez ?

Elle secoua la tête puis haussa les épaules.

— J'avais des dettes.

— Vous jouez ?

— J'avoue avoir pris votre argent, cela devrait vous suffire.

Elle planta les yeux dans les siens, et Jonas sentit une boule de chaleur enflammer son ventre. Comment un simple regard, revêche qui plus est, pouvait-il avoir un tel effet sur lui ?

Refusant d'éprouver quoi que ce soit pour la femme qui l'avait volé, et surtout pour la fille de Silvia Ruggiero, il choisit avec soin ses mots pour anéantir tout sentiment de proximité.

— Piers n'aurait pas demandé mieux que de venir en aide à une jolie jeune femme. Vous n'auriez eu aucune difficulté à le séduire.

— Vous êtes malade ! Piers était avec ma mère et n'éprouvait pas le moindre intérêt pour moi.

Ravenna avait l'air horrifié. Ou elle était une excellente actrice ou elle jetait son dévolu sur des hommes plus jeunes.

— D'après ce que je sais, cela ne l'aurait pas dérangé. Il n'était pas difficile à convaincre.

Ravenna tenta une fois de plus de se libérer mais Jonas enroula son bras libre autour de sa taille, la pressant contre lui pour la maîtriser.

En effet, elle cessa de se débattre. Seuls ses seins qui se soulevaient au rythme de sa respiration trahissaient son agitation.

— Et vous, Jonas, demanda-t-elle, sarcastique, qu'êtes-vous en train de faire ? Rechercher des sensations fortes ?

Il dut se retenir pour ne pas répliquer.

Contrairement à son père, il était exigeant et loyal et ne se laissait pas berner par un joli minois et un décolleté profond.

Jonas fixa la femme qui avait réussi à réveiller en lui des émotions enfouies depuis des années et à lui faire perdre sa légendaire maîtrise. Il brûlait d'envie d'imposer le silence à sa bouche insolente, de forcer ces lèvres pulpeuses et de soulager sa frustration en une étreinte torride.

En dépit du regard accusateur de Ravenna, il savait que ce qu'elle éprouvait pour lui n'était pas simplement de la colère.

— Je choisis mes partenaires avec le plus grand soin, Ravenna, murmura-t-il d'une voix rauque, et ne prends jamais rien qu'une femme ne désire m'offrir.

Il vit la couleur envahir son visage, sa langue passer sur sa lèvre inférieure et huma alors cet indéfinissable parfum de désir féminin.

— Vraiment ? Alors gardez à l'esprit que je ne vous offre rien.

Loin d'être convaincu, Jonas se pencha imperceptiblement et la vit soupirer. Un signe de… capitulation ou de victoire ?

— En êtes-vous sûre ? murmura-t-il, certain de l'avoir deviné.

Il savait qu'elle userait de tous les moyens pour l'amadouer. Pensait-elle le séduire comme sa mère l'avait fait avec Piers ?

Cette idée calma son besoin impétueux de la goûter sans pour autant venir à bout du désir qui le rongeait et le rendait encore plus furieux que la perte de son argent.

Gardant un bras autour de sa taille, il laissa glisser ses doigts sans qu'elle ne réagisse, le mettant au défi d'aller plus loin. Sa main effleura puis se posa malgré lui sur son sein dont le bout dressé se dressa contre sa paume, faisant naître une onde de chaleur au creux de ses reins.

Pendant un bref instant Ravenna se figea, comme prête à le repousser, puis abaissa les paupières en une invitation tacite, un soupir silencieux s'échappant de ses lèvres entrouvertes.

— Demandez-moi d'arrêter, dit-il, et je vous obéirai.

Il espérait qu'elle n'en ferait rien.

Elle ouvrit la bouche mais aucun son ne sortit.

La courbe de son sein sous ses doigts et la pression de son corps contre le sien vinrent alors à bout de la résolution de Jonas qui, consumé de désir, était disposé à répondre à son invitation muette quand un doute s'insinua en lui : Ravenna allait en déduire qu'il était comme son père, or il avait suffisamment d'orgueil et de clairvoyance pour ne pas lui laisser croire que l'histoire allait se répéter.

Il allait plutôt lui donner une leçon.

Il caressa son sein, juste assez pour la faire frissonner de plaisir, mais dut aussitôt réprimer son propre désir.

— Vous aimez ça, n'est-ce pas ?

Entrouvrant les yeux, Ravenna le regarda avec un air de fragilité qui contrastait avec l'assurance dont elle avait fait preuve auparavant.

Il s'éloignerait dans un instant… après s'être autorisé un seul…

Il approchait ses lèvres de la base de son cou, se laissant enivrer par son doux parfum, lorsque Ravenna lui agrippa la main.

— Non. Je vous en prie…

Ignorant la voix de la raison, Jonas pressa sa gorge offerte de baisers et s'abandonna au plaisir de la caresser, se délectant du goût de sa peau douce et soyeuse.

Aucune femme n'avait jamais éveillé en lui un tel désir.

Ravenna posa la main sur sa nuque pour l'attirer vers elle et Jonas, heureux de la sentir s'offrir davantage, titilla de la langue le point sensible, derrière son oreille. Elle était si réceptive !

Une sensation de triomphe s'empara de Jonas lorsqu'elle tendit enfin les lèvres vers lui. Il déposa un baiser au coin de sa bouche pulpeuse, disposé à l'entraîner sur le canapé pour leur offrir un moment de plaisir intense, quand il la vit soudain écarquiller les yeux, une expression horrifiée se peignant sur son visage.

Jonas fronça les sourcils. Elle le désirait, il le savait, le sentait à son corps pressé contre le sien. Pourtant…

— Lâchez-moi, lança Ravenna d'une voix rauque en le repoussant. Vous n'avez pas entendu la sonnette ?

Jonas sursauta, étonné par ce brusque changement d'humeur.

— Je vous ai dit de me lâcher !

Elle détourna les yeux, comme incapable de le regarder. Regrettait-elle d'avoir cédé à son désir ?

L'amertume envahit Jonas à l'idée d'avoir succombé au charme d'une femme avide.

Tout comme son père avant lui.

— Sauvée par le gong, murmura-t-il, constatant qu'elle rosissait.

Il la regarda tourner les talons et s'éloigner vers l'entrée d'un pas mal assuré tout en maudissant sa propre faiblesse : bien que sachant qui elle était, il avait été incapable de lui résister.

— Je voulais voir jusqu'où vous iriez et je n'ai pas été déçu, lança-t-il.

La voyant s'arrêter et courber les épaules, sans toutefois se retourner, Jonas éprouva l'espace d'un instant l'envie de traverser la pièce pour la prendre dans ses bras et la réconforter, mais il secoua la tête.

Qu'avait donc Ravenna Ruggiero pour l'émouvoir malgré ce qu'elle avait fait ?

Il serra les mâchoires, à la fois furieux de s'être laissé séduire et frustré de savoir qu'il ne pourrait plus la prendre dans ses bras.

— Le jour où vous serez prête à m'en offrir un peu plus, faites-le-moi savoir. Je pourrais, moi aussi, me laisser convaincre.

4.

Ravenna aurait souhaité disparaître sous terre afin d'échapper au mépris de Jonas Deveson.

La sonnerie retentissant de nouveau, elle se dirigea vers la porte, s'appuyant contre le mur tandis qu'elle décrochait l'Interphone d'une main tremblante.

— Monsieur Danjou ?

Elle pressa le bouton d'ouverture, la gorge nouée en sentant le regard pénétrant de Jonas dans son dos.

Elle savait bien qu'elle aurait dû le repousser mais elle n'avait, de sa vie, jamais éprouvé une attirance si forte. Dès que Jonas avait posé la main sur elle, son corps entier s'était réveillé et elle avait oublié toute raison.

Comment cela était-il possible ?

La sonnette de la porte d'entrée retentit et, se reprenant, Ravenna ouvrit la porte.

Sur le seuil se tenait un homme fort élégant, d'une cinquantaine d'années.

— Mademoiselle Ruggiero ?

— Monsieur Danjou… Je suis enchantée de vous rencontrer et vous remercie d'être venu si vite, répondit-elle en lui tendant la main.

Elle le précéda dans le salon, évitant de regarder dans la direction de Jonas.

Elle lui aurait volontiers demandé de partir mais savait que leur discussion était loin d'être terminée.

La présence de l'expert lui changeait les idées et lui permettait au moins de reprendre contenance.

Le séduisant Français s'avança, main tendue, et se présenta à Jonas. L'ayant de toute évidence reconnu, il se permit même de le flatter, le considérant sans aucun doute comme un client potentiel.

— J'ai ici un inventaire, monsieur Danjou, l'interrompit Ravenna.

Il sembla se tourner à regret vers elle.

— Monsieur Deveson, pouvons-nous remettre à plus tard notre discussion ?

Elle ne perdait rien à essayer, car l'idée de voir Jonas les suivre dans l'appartement pour évaluer les biens de sa mère la rendait nerveuse.

— Je crains que ce ne soit pas possible, Ravenna.

Il avait délibérément parlé d'une voix caressante et, à sa grande consternation, elle sentit sa peau la picoter et le bout de ses seins durcir.

On aurait dit que son corps était programmé pour réagir à sa voix !

— M. Danjou et moi risquons d'en avoir pour un moment…

— Je vous en prie, l'interrompit-il avec un geste ample du bras semblant l'autoriser à poursuivre sa visite, j'ai tout mon temps.

Il s'installa dans un fauteuil, croisa les jambes avec nonchalance et posa les mains sur les accoudoirs.

Ravenna se sentait pieds et poings liés, mais, ayant appris au cours des derniers mois qu'elle était capable d'endurer beaucoup plus qu'elle ne l'aurait cru possible, elle surmonta son angoisse et redressa les épaules. Elle trouverait le moyen de rembourser sa dette et sauverait sa mère de la vengeance implacable de cet homme.

— Comme vous voudrez. N'hésitez pas à vous mettre à l'aise.

Sur ces mots, elle lui décocha un sourire éblouissant, ravie de le décontenancer, et, se tournant vers M. Danjou, lui fit signe de la précéder.

— Nous pouvons commencer par le bureau.

Jonas se demanda pourquoi Piers, qui ne travaillait plus depuis des années et vivait de ses rentes, avait eu besoin d'un bureau. Tout en changeant de position dans son fauteuil inconfortable, il jeta un coup d'œil alentour. Les rares jolies pièces meublant encore l'appartement se perdaient parmi un fouillis de bibelots clinquants.

Peu désireux de rester en retrait, il bondit sur ses pieds et les rejoignit dans une grande pièce où trônait un immense bureau de bois massif.

— Vous pourriez obtenir cent euros de cette pièce.

L'antiquaire tournant le dos à la porte, Jonas ne pouvait voir ce qu'il tenait dans la main.

— Pas plus ? répondit Ravenna. Je pensais que cette tabatière avait de la valeur.

Jonas vit Danjou hésiter face au désespoir évident de sa cliente.

— Je préfère être prudent.

Il reporta son attention sur l'objet qu'il tenait.

— En la regardant de plus près, il est possible que nous en obtenions un peu plus. Si vous le désirez, je peux m'occuper personnellement de la vente. Je connais un collectionneur que cela pourrait intéresser.

— Vraiment ? Ce serait merveilleux, monsieur Danjou.

L'espoir rendait sa voix douce et Jonas sentit sa peau se contracter comme si elle l'avait effleuré du bout des doigts.

— C'est la moindre des choses que je puisse faire en ces tristes circonstances.

L'antiquaire se rapprocha d'elle.

— Vous pouvez m'appeler Etienne.

Une sensation de dégoût s'empara de Jonas en regardant le vieil antiquaire réagir à l'astucieuse démonstration de vulnérabilité de Ravenna.

Cette femme effrontée n'était donc pas innocente ! Elle s'était de toute évidence préparée pour cette visite, jouant la carte de la compassion. Son tailleur bleu était bien coupé mais trop grand pour elle, et sa coupe de cheveux à la garçonne accentuait son visage fin et ses yeux immenses.

Dire qu'il avait douté de sa capacité à voler ! Elle était aussi intrigante et dangereuse que sa mère. Malgré cela, son visage saisissant, son regard profond et son corps menu lui donnaient envie de la serrer contre lui !

Il inspira profondément, luttant pour chasser l'envie de mettre Ravenna Ruggiero dans son lit.

Il ne s'abaisserait pas à cela et allait plutôt lui faire payer sa malhonnêteté, faisant en sorte qu'elle apprenne la valeur de l'argent et du travail difficile. Elle rembourserait sa dette jusqu'au dernier centime.

Il avait envisagé au départ de livrer la maîtresse de son père à la police, mais à présent que Ravenna s'était déclarée coupable il désirait un châtiment plus personnel.

Jonas se dit que sa décision n'avait rien à voir avec le fait de l'avoir surprise en train de flirter avec un autre homme. Il était déçu de découvrir qu'elle avait suivi les traces de sa mère, recherchant l'argent facile plutôt que de travailler honnêtement. Il s'était attendu à mieux de sa part. C'était comme si elle avait trahi son souvenir d'elle.

Il justifia sa décision, presque altruiste, de lui donner une chance d'éviter un casier judiciaire : faire face aux conséquences de son crime sous forme de labeur ardu forgerait peut-être son caractère.

Jonas sentit son estomac se nouer en la voyant battre des cils face à ce Français naïf.

Il était à présent impatient de collecter sa dette.

— Cela me semble très intéressant, minauda M. Danjou devant une vitrine contenant un service de verres anciens.

— Vous pensez qu'ils ont une réelle valeur ? demanda Ravenna en s'approchant.

Elle avait peu d'espoir de trouver des objets susceptibles de rembourser l'argent que sa mère avait pris sur le compte de Jonas Deveson, mais réussir à payer les factures de Silvia serait déjà un énorme soulagement.

— Je dois les examiner de plus près, répondit-il en ouvrant la vitrine et en saisissant un verre au pied finement torsadé.

— Je crains que ces pièces ne soient pas à vendre.

Ravenna sursauta en entendant une voix profonde dans son dos. Elle n'avait pas entendu Jonas Deveson approcher.

— Qu'est-ce qui vous prend ?

Elle regretta sa réaction en voyant ses sourcils se soulever. C'était peut-être mesquin, vu ce qui s'était passé entre eux, mais elle ne devait en aucun cas lui montrer à quel point il la déstabilisait.

Sans daigner répondre, Jonas se tourna vers M. Danjou, lui prit le cristal des mains, le tint à la lumière un instant puis le reposa dans la vitrine dont il ferma la porte.

— Il semblerait que cet inventaire ne soit pas valable.

Il s'empara ensuite du bloc-notes que tenait Ravenna et, avant qu'elle n'ait la présence d'esprit de le lui reprendre, sortit un stylo en or de sa poche et commença à barrer certaines lignes de la liste.

— Ce service appartient depuis des générations à la famille Deveson et par conséquent me revient.

Il foudroya Ravenna du regard.

— A moins que vous n'ayez décidé de me le voler aussi ?

Les joues en feu, Ravenna sentit le regard curieux de M. Danjou posé sur elle.

— Le notaire de votre père ne s'étant pas manifesté, se défendit-elle, j'en avais déduit que le mobilier appartenait à ma mère.

— Qui n'est, bizarrement, pas présente aujourd'hui, rétorqua Jonas, et était injoignable lorsque mes avocats ont tenté de la contacter.

Ravenna secoua la tête, niant l'accusation sous-entendue.

— Elle est bouleversée et ne se sentait pas la force de s'occuper de cela.

— Et elle vous a chargée de le faire à sa place ?

L'atmosphère s'était tendue. Le sang de Ravenna n'avait fait qu'un tour en entendant Jonas la traiter de voleuse.

C'est exactement ce que tu veux qu'il croie afin de protéger ta mère.

Ravalant son orgueil, elle laissa la prudence l'emporter sur sa fureur et se tourna vers l'antiquaire avec un sourire contrit.

— Ainsi que vous pouvez le constater, monsieur Danjou, les choses ne sont pas aussi claires que je le pensais. Cela vous dérangerait-il… ?

— Bien entendu, mademoiselle.

— Je vous appellerai lorsque ce petit problème sera réglé.

— Comme vous voudrez.

L'antiquaire se hâta vers la porte, ravi de s'éclipser.

Déjà humiliée par les accusations de Jonas, Ravenna avait le désagréable pressentiment qu'il ne s'arrêterait pas là.

Il voulait bien plus. Il voulait lui faire payer le prix fort.

Elle frissonna en se souvenant de ses lèvres dans son cou et de sa propre passivité.

— Enfin seuls…, murmura-t-il d'une voix caressante.

Ravenna tourna les talons et se dirigea vers la cuisine.

— Où allez-vous ?

— J'ai besoin d'un café.

Voyant qu'il lui emboîtait le pas, elle refusa de se laisser envahir par la panique, s'approcha de l'évier et remplit la bouilloire.

— Une parfaite petite ménagère.

Elle haussa les épaules.

— N'oubliez pas que je *suis* la fille d'une gouvernante !

Après avoir moulu le café, elle demanda d'une voix crispée :

— Quelles sont vos intentions à présent, Jonas ? Avez-vous prévu d'appeler la police ? Va-t-on me passer les menottes ?

— J'avoue que votre scénario ne manque pas de charme.

— Mais ?

Car il y avait un mais, du moins elle l'espérait. Incapable de feindre plus longtemps l'indifférence, elle fit volte-face. Ainsi qu'elle s'y attendait, il était appuyé contre l'embrasure de la porte, ses larges épaules bloquant l'entrée.

Ravenna s'humecta les lèvres et, mue par la peur plus que par l'orgueil, dit :

— Je vais vous rembourser. Je vous le promets.

Il marqua une pause, semblant réfléchir.

— Comment allez-vous faire ? Avez-vous au moins un travail ?

Elle n'avait travaillé que quelques mois en tant que chef junior dans un restaurant et avait perdu son poste lorsqu'il était devenu évident qu'elle allait devoir s'absenter pour une longue période.

— Pas pour l'instant.

— Cela ne me surprend pas.

Elle refusa de mordre à l'hameçon.

— Quelles sont vos intentions ? demanda-t-elle.

Il se tut un instant puis esquissa un sourire. Malgré son air menaçant, Ravenna ne put s'empêcher de le trouver sexy.

— Vous voulez dire… à propos du vol ?

Elle serra les poings, se retenant de tenter de nouveau de le gifler.

— Cet air fourbe et condescendant ne vous va pas.

— Pas plus que vos grands yeux innocents.

Malgré la bouilloire qui sifflait, Ravenna croisa les bras afin de cacher les tremblements qui l'agitaient, gardant les yeux rivés sur l'homme qui tenait son avenir entre ses mains.

— J'ai l'intention de m'assurer que vous payiez votre dette. C'est aussi simple que ça.

— Rien n'est simple avec vous.

Cette fois son sourire se fit appréciateur.

— Vous apprenez vite.

Comme elle ne répondait pas, il poursuivit :

— Je compte rouvrir Deveson Hall. Personne ne s'en est occupé depuis la mort de ma mère à part le gardien de la propriété.

Ravenna fronça les sourcils. Sa mère y ayant travaillé en tant que gouvernante, elle savait que ce vieux manoir majestueux avait besoin d'un entretien constant. Dans quel état de délabrement devait-il se trouver ?

— Deveson Hall nécessite une complète rénovation.

Ravenna fut surprise de discerner une légère émotion, voire une certaine inquiétude, dans sa voix, et de le voir se passer la main derrière le cou comme pour en soulager une tension soudaine.

Jonas Deveson capable de sentiments plus doux que l'amertume ou le mépris ?

Il était peut-être plus complexe qu'elle ne l'avait pensé.

Ravenna allait lui demander pourquoi il ne s'était pas soucié de l'entretien du manoir jusque-là mais la réponse était évidente : il venait juste d'en hériter.

Piers n'était pas revenu au manoir depuis le décès de sa femme et avait de toute évidence préféré dépenser son argent pour maintenir son train de vie luxueux plutôt que d'entretenir la propriété de famille.

— C'est là que vous intervenez.

Le sourire de Jonas glaça Ravenna.

— En plus des travaux de rénovation, le manoir a besoin d'être nettoyé de la cave au grenier.

— Vous voulez que je fasse partie de l'équipe qui… ?

— Non.

Il secoua lentement la tête.

— Vous serez seule responsable de préparer la propriété pour le bal que je compte donner afin de célébrer la réouverture du manoir.

Ravenna en resta bouche bée. Deveson Hall était immense, et avait été construit des siècles auparavant, du temps où la famille employait une foule de domestiques.

— *Une personne* pour faire tout cela ? C'est impossible !

— Plusieurs corps de métiers se chargeront des réparations, mais vous devrez préparer le manoir à être de nouveau habité.

Ravenna comprit à la lueur qui passa dans son regard d'acier que c'était sa seule solution face à la prison.

— Si votre travail me convient, poursuivit-il, vous pourrez travailler ensuite en tant que gouvernante afin de finir de payer votre dette. C'est mon offre. A prendre ou à laisser.

Ravenna sentit son ventre se nouer. Elle s'était juré de ne jamais être la domestique de personne après avoir vu la façon dont sa mère était traitée par certains employeurs.

L'écho des railleries entendues dans sa jeunesse résonna à ses oreilles. Ses camarades de classe avaient considéré le fait de devoir côtoyer la fille d'une domestique comme une insulte et le lui avaient fait payer.

Elle avait cru avoir fui tout cela mais se rendait compte à présent qu'elle n'avait pas le choix si elle voulait éviter la prison.

Elle inspira profondément dans l'espoir de se calmer.

Jonas ferait sans aucun doute de sa vie à Deveson Hall un enfer, mais elle était assez forte pour y faire face. Rien ne pouvait être pire que ce qu'elle venait d'endurer. Elle redressa les épaules et le regarda droit dans les yeux.

— Et n'imaginez surtout pas que l'histoire puisse se répéter ! lança-t-il d'un ton glacial. Contrairement à mon père, je n'ai pas un faible pour les domestiques.

Ravenna releva le menton.

— Vous m'en voyez soulagée, car vous n'êtes pas mon type d'homme.

Jonas s'abstint de rétorquer. Il se contentait d'attendre qu'elle rejette sa proposition grotesque pour appeler la police.

— Comment pourrais-je refuser une offre aussi généreuse ? Vous avez trouvé une gouvernante, monsieur Deveson !

5.

Le froid glacial ne faisait rien pour remonter le moral de Ravenna qui resserra les bras autour d'elle, essayant de se protéger du vent chargé de bruine qui transperçait son manteau.

En découvrant l'état de délabrement du manoir, elle se rendit compte que Jonas lui demandait l'impossible. Personne ne pouvait s'attendre à ce qu'une personne seule en vienne à bout. Même si Deveson Hall n'était pas resté presque à l'abandon pendant des années, une équipe de professionnels aurait été nécessaire pour l'assainir. Jonas ne pouvait pas sérieusement penser que…

Il n'était bien sûr pas stupide et devait s'attendre à ce qu'elle renonce pour la livrer à la justice, la mettant ainsi à sa merci.

Elle frissonna au souvenir de son regard impitoyable.

La tentation de fuir lui traversa de nouveau l'esprit, mais elle savait que cela ne résoudrait rien. Elle devait assumer la responsabilité de la fraude puisque c'était elle qui avait profité de l'argent et que sa mère n'était pas en état d'affronter Jonas.

Dieu soit loué, Silvia était en Italie ! Afin de justifier son départ de Paris, Ravenna lui avait annoncé qu'elle avait trouvé un travail prometteur en Angleterre.

Sa mère avait été très heureuse que sa fille ait enfin une chance de reprendre sa carrière interrompue. Elle pensait probablement que Jonas, à la tête de tant de milliards, ne remarquerait pas l'argent manquant. Si elle devinait que Ravenna avait endossé sa culpabilité… il valait mieux ne pas y penser. Leurs coups de téléphone rendaient Ravenna malade, mais elle n'avait pas le choix. Elle ne laisserait pas sa mère à la merci de Jonas Deveson.

Elle plongea ses doigts gelés dans sa poche pour y prendre un trousseau de clés et avança parmi les mauvaises herbes jusqu'à la porte de service.

Ignorant le carton de provisions posé sur une marche, elle ouvrit la porte et désactiva l'alarme qui protégeait le manoir.

La propriété était sous la surveillance permanente du gardien dont la maison se trouvait près du grand portail et Ravenna avait reçu l'ordre de ne pas en quitter le périmètre. Elle était en quelque sorte prisonnière du manoir. Un frisson la parcourut en se souvenant du regard d'acier de Jonas Deveson.

Sa valise à la main, elle pénétra dans le hall sinistre et glacial, bien différent de ses souvenirs.

En ouvrant la porte de l'appartement dans lequel avait vécu sa mère, elle se figea sur place.

Une odeur âcre de moisi la saisit à la gorge tandis qu'elle découvrait les murs maculés de taches d'humidité de ce qui avait été autrefois un salon confortable et intime. Sentant un courant d'air, elle s'aperçut que les rideaux à demi tirés bougeaient sous l'effet du vent qui s'engouffrait à travers un carreau cassé.

Le gardien avait bien mal fait son travail s'il n'avait pas remarqué un problème aussi évident.

Posant sa valise, elle traversa la pièce. Le sol était jonché de débris craquant sous ses pieds et de crottes de souris. Dans la chambre attenante, l'odeur était pire et les murs en tout aussi mauvais état.

Jonas était-il conscient de l'importance des dégâts ? L'endroit n'avait pas besoin d'un nettoyage mais d'une rénovation totale, et comme il s'agissait d'une demeure classée monument historique, la tâche serait assurément compliquée.

Quel cauchemar ! pensa-t-elle en ouvrant les portes les unes après les autres. Une conduite d'eau avait même dû éclater à l'étage, endommageant tout le rez-de-chaussée.

C'était criminel d'avoir négligé le manoir de la sorte. Comment Piers avait-il pu se montrer aussi irresponsable ?

Elle se souvint alors de l'homme rieur et volubile, amoureux de sa mère et toujours prêt à lui faire plaisir, mais préférant fuir toute responsabilité pour s'accorder du bon temps.

Il n'avait jamais fait preuve de fermeté que sur un point : il ne voulait plus rien avoir à faire avec sa famille et le domaine qu'il avait laissés derrière lui en Angleterre.

Ravenna sentit l'espoir renaître en arrivant dans la cuisine. Malgré la lumière grise filtrant à travers les vitres sales, aucun dommage n'était apparent.

Elle jeta un coup d'œil de professionnel sur le matériel vieillot et les placards mal agencés : elle avait déjà vu pire.

Le voyage avait épuisé Ravenna et l'énormité de la tâche qui l'attendait lui donnait envie de fuir, mais, imaginant le plaisir qu'aurait Jonas Deveson à la voir abandonner avant d'avoir commencé, elle redressa les épaules et décida d'aller chercher le carton de provisions.

— Qu'est-ce que c'est ?

Jonas regarda, incrédule, la pile de factures, de notes et de listes rédigées sur des bouts de papier, que Stephen, son assistant, venait de déposer sur son bureau.

— Vous avez demandé à voir tout ce qui concernait Deveson Hall.

Il aurait dû se douter que Ravenna trouverait un moyen de le harceler, au lieu de se contenter de nettoyer le manoir du sol au plafond.

Pour être franc, depuis son voyage éclair à Paris, cette femme le hantait : trop souvent à son goût il se rappelait sa peau au parfum de cannelle et ses soupirs excitants tandis qu'il l'embrassait.

Son estomac se noua, décuplant sa colère.

— Expliquez-vous !

Voyant Stephen le regarder d'un air surpris, Jonas se rendit alors compte qu'il avait élevé la voix, ce qu'il ne faisait jamais.

Sauf lors de sa rencontre avec Ravenna Ruggiero.

— Le responsable du projet a appelé hier : il est retenu à Singapour.

Jonas se souvint alors d'avoir pris la décision d'attendre son retour, souhaitant lui confier la restauration de la propriété familiale.

— Merci, Stephen, j'avais vu votre mémo. Mais ça ? poursuivit-il en saisissant une facture. Vingt pièges à souris ? Que diable fait cette femme ?

— Elle combat l'adversité ? répliqua son assistant, le sourire aux lèvres.

Jonas feuilleta de nouveau les factures. Il avait au départ pensé la laisser seule un moment, mais il valait peut-être mieux la surveiller…

— Annulez tous mes rendez-vous à partir de demain. Je pars pour Deveson Hall.

Jonas se tenait au pied des larges marches du perron, une curieuse sensation de vide au creux de l'estomac, qui s'accentua en découvrant les mauvaises herbes, une vasque de pierre qui penchait dangereusement près de la porte d'entrée et quelques fenêtres condamnées par des planches de bois ou un simple morceau de carton.

Cela faisait six ans qu'il n'était pas venu, depuis que sa mère s'était suicidée et que son père…

Jonas repoussa ces pensées, horrifié par le sentiment de faiblesse et de vulnérabilité qu'il ressentait.

Pendant six ans, sa vie avait été satisfaisante, productive, pleine de défis, de triomphes et de plaisirs. Il n'accordait aucune place aux regrets, se concentrant sur l'avenir et sur ses succès professionnels.

Rien ne l'avait distrait de son but jusqu'à l'entrée en scène de Ravenna Ruggiero, qu'il tenait pour responsable de l'avalanche d'émotions qui avaient déferlé sur lui.

Raison de plus pour assouvir sa vengeance et en finir avec elle ! Face à l'énormité de la tâche qui l'attendait, elle ne manquerait pas de baisser les bras. Finis alors les regards provocateurs, les répliques insolentes : il serait enfin débarrassé d'elle.

Jonas monta l'escalier d'un pas décidé mais, dès qu'il ouvrit la porte de la vieille demeure, le passé le frappa de plein fouet et il dut s'agripper à la poignée un instant, le temps de se ressaisir.

La maison était plongée dans la pénombre, l'air était glacial et chargé de poussière.

Il ouvrit les fenêtres en grand, laissant la lumière s'infiltrer dans l'immense hall aux dalles usées, dépourvu d'âme malgré son mobilier ancien.

Jonas pénétra dans le salon de réception plus moderne avec sa cheminée Régence, son plafond décoré de stucs et son grand miroir reflétant les formes spectrales des meubles recouverts de draps poussiéreux.

Sentant la colère le gagner, il ouvrit rideaux et volets, ne découvrant aucune trace récente d'occupation des lieux.

Bon sang ! Etait-elle au moins dans la propriété ?

Il parcourut à grands pas toutes les pièces du rez-de-chaussée, chacune offrant le même spectacle de désolation.

Lorsqu'il regagna le hall, son trouble avait disparu, laissant place à une rage froide contre cette femme qui, en plus de l'escroquer, n'avait même pas été capable d'entamer la tâche qu'il lui avait offerte pour lui éviter la prison.

Telle mère, telle fille. Toutes deux à la recherche d'une vie facile. Eh bien, c'était fini, cela !

Il monta l'escalier quatre à quatre afin d'inspecter l'étage et, poussant une porte entrouverte, découvrit Ravenna dans l'une des chambres réservées à la famille.

Il s'approcha du grand lit à baldaquin où, allongée en chien de fusil, un bras replié sous la tête, elle reposait, image même de l'innocence.

Le cœur battant, il la regarda, le doute s'insinuant en lui.

Etait-elle consciente qu'il la regardait ? Il était incroyable qu'elle n'ait pas entendu claquer les portes.

Son souffle était régulier. La lumière qui filtrait à travers les volets dessinait ses traits fins, projetant une ombre délicate sur son visage.

En abaissant les yeux vers ses lèvres roses à peine entrouvertes, Jonas se souvint de ses soupirs tandis qu'il la caressait, et de son désir d'en goûter plus.

Il levait la main, prêt à la réveiller en douceur, lorsqu'il fit un bond en arrière.

Il n'était pas aussi naïf que Piers. Il savait qui elle était et elle le découvrirait à ses dépens.

— Il serait temps de vous lever !

Une voix profonde parvint au cerveau embrumé de

Ravenna qui se recroquevilla pourtant contre l'oreiller moelleux, heureuse de laisser son corps épuisé se relaxer.

— J'apprécie beaucoup le tableau de la Belle au bois dormant, mais ça ne marche pas avec moi.

Ravenna ouvrit les yeux.

— Vous !

— Pourquoi ? Vous attendiez quelqu'un d'autre ?

En le voyant près d'elle, Ravenna sentit la panique la gagner et son cœur s'emballer.

Sa peur n'était pas suscitée par l'air courroucé de Jonas, mais par la réaction de son propre corps : un désir fulgurant s'était emparé d'elle à l'instant même où leurs regards s'étaient croisés alors qu'elle avait réussi à se convaincre de l'absurdité de ce qui s'était passé entre eux à Paris.

Ravenna roula vers l'autre bout du lit et se leva brusquement. Sentant ses genoux se dérober sous elle, elle dut se retenir au montant du lit pour ne pas s'effondrer.

— Ne me touchez pas ! murmura-t-elle en voyant Jonas se précipiter pour la soutenir.

Il était normal que ses jambes tremblent après autant d'heures de travail. Cela n'avait rien à voir avec Jonas Deveson.

— Que faites-vous ici ?

— C'est plutôt à moi de poser cette question.

Ravenna regarda sa montre : 14 heures. Pas étonnant qu'elle soit fatiguée, elle avait dû dormir tout au plus un quart d'heure.

Depuis son arrivée au manoir, elle avait travaillé sans relâche, alors que les médecins lui avaient conseillé de se ménager et de laisser à son corps le temps de récupérer.

La crainte que Jonas l'accuse à la première occasion de ne pas être à la hauteur de la tâche impossible qu'il lui avait imposée avait été une motivation suffisante pour la pousser à dépasser ses limites.

Ravenna essuya ses paumes soudain moites sur son jean, déterminée à ne pas se laisser intimider.

— Je prenais quelques instants de repos car j'ai commencé très tôt ce matin.

— Vous auriez pu prendre une tasse de thé au lieu de vous allonger sur un lit d'époque !

Elle regarda le dessus-de-lit à peine froissé dont elle avait soigneusement nettoyé le riche tissu brodé, ainsi que les longs rideaux assortis.

— J'ai passé la semaine entière à remettre cette pièce en état, même si vous n'avez pas daigné le remarquer, lança-t-elle en plantant ses mains sur ses hanches d'un air de défi. Pourquoi n'aurais-je pas le droit d'y dormir ?

Les traits de Jonas se tendirent.

— Vous ressemblez à votre mère. Elle devait penser la même chose lorsqu'elle s'occupait de la chambre de Piers.

— Espèce de…

— Si j'étais vous, l'interrompit-il en levant la main, je ferais attention à ce que je dis.

— Merci du conseil !

Elle ne pouvait cependant pas se permettre de le provoquer davantage.

— Je préfère vous prévenir que je me suis installée dans cette chambre.

— Le logement de la gouvernante n'était pas assez bien pour vous ?

— Il était humide et en plein vent.

Elle ne put s'empêcher d'éprouver un malin plaisir en voyant son air stupéfait.

— Depuis quand n'êtes-vous pas venu ici ?

Il ignora la question.

— Si c'est votre chambre, je préfère poursuivre ailleurs notre discussion.

Ravenna faillit répliquer mais décida d'obtempérer.

Faisant demi-tour, elle sentit sa tête se mettre soudain à tourner.

La voyant chanceler, Jonas tendit le bras pour la rattraper et elle se retrouva contre sa poitrine, une odeur virile et citronnée éveillant en elle des images de corps nus sous le chaud soleil méditerranéen.

Non ! Sa faiblesse soudaine était due à son état d'épuisement, pas à l'homme qui la tenait dans ses bras.

— Vous vous sentez bien ?

Ravenna regarda sa bouche sévère, se rappelant la façon dont ses douces lèvres avaient caressé son cou. Elle frissonna tandis qu'une vague de chaleur envahissait son ventre, descendait dans ses jambes, lui donnant envie de se blottir contre lui et…

— Oui, répondit-elle d'une voix rauque.

Lorsqu'elle recula prudemment, il laissa aussitôt retomber ses mains, lui donnant l'impression d'être soulagé de s'éloigner d'elle.

Ravenna interpréta sa réaction de façon positive : s'il avait su à quel point elle réagissait à sa présence, il en aurait sans doute profité.

Une fois sur le palier, elle lui demanda :

— Vous ne m'avez toujours pas dit pourquoi vous étiez là.

— Pour vous surveiller, bien sûr !

— Au cas où je viderais la maison des objets de valeur ?

— Non, le gardien vous en empêcherait, répondit-il d'un ton suffisant. Je pensais que vous aviez besoin d'être supervisée. Ce que je viens de voir ayant malheureusement confirmé mes doutes, j'ai même pris la décision de rester.

Comme sa tête se mettait de nouveau à tourner, Ravenna s'agrippa à la balustrade.

Elle avait été bien naïve de penser que la situation ne pouvait pas empirer !

6.

Jonas observa la cuisine, étonné. A l'ancienne mais fonctionnelle, elle offrait une atmosphère chaleureuse et familiale qu'il ne s'était pas attendu à y trouver.

Avec son immense table de bois ciré, ses vieux placards et une collection de moules et casseroles de cuivre accrochée contre le mur blanc, elle semblait surgir du passé.

Son passé.

Il se souvenait d'y avoir bu du chocolat et mangé des gâteaux sous le regard bienveillant de la cuisinière, Mme Roberts, qu'il venait souvent rejoindre pour la regarder préparer ses recettes et surtout les goûter.

Jusqu'au moment où sa mère, l'ayant découvert, avait mis fin à ces escapades, lui expliquant qu'il avait mieux à faire que de frayer avec les domestiques.

Ignorant la sensation de son ventre qui se serrait et le goût métallique qui lui était monté à la bouche, Jonas observa la pièce impeccable, le bouquet posé sur l'ancien vaisselier et la manière dont Ravenna s'activait dans la grande cuisine avec une économie de mouvements indiquant qu'elle se sentait chez elle ici.

Ravenna, *la fille d'une gouvernante*, ainsi qu'elle le lui avait fait remarquer !

Elle était pourtant bien plus que cela.

En la regardant incliner son corps souple pour

prendre les tasses à thé dans un placard, il sentit son pouls s'emballer.

Il était rassuré de constater qu'elle se sentait mieux, à présent. Elle avait failli s'évanouir et ce n'était pas du cinéma car il l'avait vue agitée de tremblements, luttant pour se tenir droite comme si chaque pas lui coûtait.

Il ne voulait pas avoir pitié d'elle, ne voulait pas la désirer non plus, mais c'était plus fort que lui !

— Tenez.

Ravenna posa devant lui une tasse ainsi qu'une assiette de biscuits.

— Devrais-je vérifier qu'ils ne sont pas empoisonnés ?

Ne daignant pas relever, Ravenna se contenta de s'asseoir face à lui et de boire une gorgée de thé.

Le cœur de Jonas se serra lorsqu'il reconnut les tasses en porcelaine blanche ornées d'un fin motif bleu que Mme Roberts sortait lorsqu'il venait goûter.

Il saisit machinalement un biscuit qui fondit dans sa bouche, lui rappelant les friandises qu'il dégustait lorsque les disputes de ses parents le poussaient à chercher refuge dans la cuisine.

— Espérez-vous me distraire avec vos talents culinaires ? lança-t-il pour se changer les idées.

Il enragea de voir Ravenna serrer les dents comme si elle se retenait de riposter. Habitué à mener son monde avec autorité et confiance, il n'aimait pas qu'on lui tienne tête.

— J'espérais pouvoir avoir enfin une conversation normale avec vous, rétorqua-t-elle en soupirant, mais visiblement je me suis trompée.

Elle repoussa sa chaise.

— Suivez-moi. Vous mourez d'envie d'inspecter mon travail, n'est-ce pas ?

Elle avait raison. Il s'était précipité au manoir avec l'intention de la prendre en faute mais il était à cran depuis son arrivée, submergé par des souvenirs et des émotions si longtemps refoulées.

Il se leva et la suivit, ému par l'état de délabrement du manoir. En lisant le rapport du responsable du projet, il n'avait pas mesuré l'ampleur des dégâts.

Il avait refusé de venir du vivant de son père, se sentant davantage chez lui à Londres, New York ou Tokyo, au gré de ses voyages d'affaires. Il avait fui son passé, préférant consacrer son énergie à faire de l'entreprise Deveson la première compagnie d'investissement du pays.

Rester éloigné de la propriété familiale lui avait évité de se remémorer les derniers mois que sa mère y avait passés, livrée au désespoir. Il haïssait cet endroit qui symbolisait l'échec de sa famille, la trahison de son père et sa propre incapacité à sauver sa mère.

— Alors ? demanda Ravenna, le tirant de sa rêverie. Allez-vous m'accuser de fainéantise pour n'avoir pas encore remis à neuf le cellier ?

Jetant un coup d'œil hâtif aux flaques témoignant d'une inondation récente et au mur bombé, Jonas prit conscience de l'urgence de la situation.

Il se tourna vers Ravenna, qui le défiait du regard.

— Il faut faire appel à différent corps de métier pour résoudre ce problème. Il n'y a rien que vous puissiez faire.

Sa réponse raisonnable déconcerta Ravenna qui, en dépit de ce qu'elle lui avait dit auparavant, *cherchait* la confrontation.

Trouvait-elle plus facile d'échanger des propos acérés avec Jonas ? De quoi se défendait-elle, au juste ?

— Maintenant que j'ai vu le pire, montrez-moi ce que vous avez fait. A moins que nettoyer la cuisine et la chambre n'ait pris tout votre temps ? Vu l'état des autres pièces, cela ne me surprendrait pas.

Voyant Ravenna incapable de rétorquer, Jonas se

réjouit de lui avoir cloué le bec. Il en avait rêvé, même si dans ses songes c'était avec ses lèvres sur sa bouche qu'il y parvenait.

L'image de Ravenna s'abandonnant à lui tandis que leurs corps s'embrasaient s'imposa à son esprit, si vivante qu'il faillit tendre les mains vers elle. Il se sentait brûlant malgré le froid du cellier et son sang battait dans ses veines.

Cette réaction si soudaine et intense rendait dérisoires toutes les raisons pour lesquelles il s'était juré de ne plus la toucher. Elle n'était pas une voleuse, ni un parasite, ni une parente de celle qui avait détruit sa mère, mais une femme désirable.

Même dans son jean usé et son pull trop grand, Ravenna le fascinait d'une manière incompréhensible, alors que son langage acerbe et son attitude ombrageuse auraient dû le rebuter, lui qui aimait les femmes sophistiquées et ultra-féminines.

— Parfait, annonça-t-elle, suivez-moi.

A la fin de la visite, Ravenna ignorait toujours ce que Jonas Deveson pouvait penser.

— *Vous* avez fait ça ? lui avait-il demandé, l'air étonné, tandis qu'elle lui montrait comment elle avait calfeutré les fenêtres du mieux qu'elle avait pu, en attendant les vitres qu'elle avait commandées.

Avait-il pensé qu'elle ignorerait les dégâts ? Deveson Hall était un magnifique vieux manoir qui méritait mieux que la négligence de Piers.

Elle lui avait d'abord montré les chambres sous les combles, qu'elle avait débarrassées et nettoyées avant de déclarer forfait devant le reste du grenier rempli de ce qui lui avait semblé représenter des siècles de souvenirs de famille.

Jonas s'était contenté de hocher la tête et de lui faire signe de poursuivre.

Elle lui avait ensuite montré la galerie dans laquelle elle avait passé la matinée perchée sur une échelle à nettoyer les cadres anciens, consciente du regard hautain d'ancêtres outrés qu'une personne de si basse extraction ose se mêler à eux.

A présent, ils passaient en revue la deuxième chambre, contiguë à la sienne, qu'elle avait remise en état.

— Vous avez fait du bon travail.

Un compliment de la part de Jonas Deveson ?

Faisant volte-face, elle le vit en train de la fixer de ce regard perçant qui ne manquait jamais d'éveiller un désir brûlant au plus profond d'elle.

— Je suis surprise que vous le reconnaissiez.

Que mijotait-il ?

— C'est la vérité. De plus, si nous devons vivre sous le même toit, je préfère éviter vos regards meurtriers.

— Il ne s'agit pas de la façon dont…

— Vous voyez ce que je veux dire ?

Comme si *elle* était responsable de la tension qui régnait entre eux !

— Je ne comprends pas pourquoi vous voulez rester.

Ces mots lui avaient échappé.

— A présent vous savez que je prends soin du manoir.

— Vu les circonstances, dit-il en faisant un pas vers elle, vous comprenez que je puisse douter de vous.

Ravenna recula pour échapper à son regard pénétrant, jusqu'à ce que ses jambes heurtent le cadre du lit. Le voyant se rapprocher, une lueur dangereuse dans les yeux, elle tenta de maîtriser sa tension en se persuadant qu'elle ne l'intéressait pas. Il se tenait si près d'elle qu'elle distinguait sa barbe naissante.

— Je vais aimer dormir ici.

Comme il avançait la main, Ravenna se figea, mais au lieu de la toucher il tapota le matelas.

— Un grand et beau lit, murmura-t-il.

Ravenna ne put s'empêcher de penser combien il serait doux d'être allongée nue contre son long corps musclé.

— Vous ne pouvez pas coucher là !

Cette chambre et la sienne n'étaient séparées que par une salle de bains.

A son grand étonnement, elle aperçut un sourire amusé adoucir ses traits.

— C'est ça ou votre lit, Ravenna.

— Je voulais dire…

Il se redressa.

— Je plaisantais. J'ai décidé de rester car cet endroit ne peut pas être laissé ainsi.

Pas entre *ses* mains, car il ne lui faisait pas confiance. C'était ce qu'il insinuait et cela lui restait sur le cœur même si, vu les circonstances, elle pouvait le comprendre.

— Mais vous avez une société à diriger.

— Vous avez vraiment hâte de me voir partir, n'est-ce pas ?

Lasse de mentir, Ravenna leva le menton.

— On ne peut pas dire que vous soyez d'une compagnie très agréable.

Au lieu de la fusiller du regard, Jonas la déstabilisa en éclatant d'un rire profond qui l'enveloppa telle une caresse.

— C'est fort, venant de vous !

Se rendant compte que Jonas ne la quittait pas des yeux, Ravenna ne put s'empêcher de tressaillir. Que lisait-il en elle ? Que devinait-il ?

— Je propose une trêve, murmura-t-il. Nous allons nous comporter en personnes civilisées pendant que nous sommes sous le même toit. D'accord ?

Ravenna hocha la tête, faisant mine de ne pas voir sa

main tendue. Toucher Jonas Deveson était la dernière des choses à faire.

Ravenna sortit du supermarché de la ville voisine, les bras chargés de victuailles. Ses maigres provisions s'étant révélées insuffisantes pour deux personnes, Jonas avait insisté pour qu'elle l'accompagne.

Grand, sensuel et terriblement viril, Jonas marchait à côté d'elle, portant la plus grosse partie de leurs achats. Sa seule présence physique la troublait bien plus que son rôle de geôlier.

Ravenna se sentait capable de faire face à sa mauvaise humeur et à ses critiques, mais le fait de faire des courses avec lui et de le voir se comporter en gentleman, insistant pour porter les paquets et lui ouvrir les portes, la déconcertait.

Cela l'énervait de voir à quel point elle appréciait ce moment de connivence.

— Votre voiture ne passe pas inaperçue, lança-t-elle en voyant un groupe de jeunes gens en admiration devant son Aston Martin rouge.

Elle oublia de préciser qu'elle adorait ce modèle.

— Vous pensez que je devrais plutôt conduire une Land Rover cabossée ?

Il ouvrit le coffre de la voiture.

— J'ai travaillé dur pour obtenir tout ce que j'ai et je n'ai pas honte d'en profiter.

— Vous êtes né avec une petite cuillère en argent dans la bouche. Je ne pense pas que…

Elle s'arrêta net devant le regard glacial que lui lançait Jonas.

— Pour être franc, je me moque de ce que vous pensez.

Il lui prit les paquets des bras et referma le coffre.

— Ceci dit, c'est vrai, mais vous oubliez de préciser

que le reste de l'argenterie familiale était gagé. Piers n'a épousé ma mère que pour sa dot, qui a malheureusement vite disparu, vu son train de vie.

Il se pencha vers elle.

— Savez-vous pourquoi j'ai la réputation d'être un investisseur prodige ?

Ravenna aperçut, fascinée, son regard où se mêlaient passion et, si elle ne se trompait pas, douleur.

— Quand j'ai passé le bac, il n'y avait déjà plus d'argent. J'ai dû financer mes études à l'université et l'entretien du manoir car votre cher Piers avait ruiné la famille.

— Ce n'était pas *mon* cher Piers.

Les pensées de Ravenna tourbillonnaient. Toutes ces années, elle s'était imaginé que les Deveson vivaient dans un luxe facile.

— Soit, acquiesça Jonas en s'approchant d'elle, c'était celui de votre mère. Sait-elle que c'est sur mon argent durement gagné qu'elle a vécu toutes ces années ?

— Le vôtre ?

Jonas eut un petit rire ironique.

— *Devesons* a peut-être démarré en tant que société familiale, mais Piers n'y a jamais vraiment travaillé. Il adorait s'enorgueillir en public de notre succès sans vouloir admettre que c'était le mien. Il lui était plus facile de parler des spectaculaires profits de la société que d'avouer que c'était son fils qui prenait les risques et faisait tout le boulot.

— Je suis désolée, je l'ignorais.

Savoir que Jonas avait dû endosser cette responsabilité lui permettait de le voir sous un jour différent et minimisait ses propres problèmes d'adolescente.

— Comment auriez-vous pu le savoir ?

Voyant le regard de Jonas s'adoucir, Ravenna eut

soudain l'impression qu'une nuée de papillons tourbillonnaient dans son ventre.

A ce moment, un cliquetis se fit entendre. En se retournant, elle aperçut un téléobjectif braqué sur eux.

— Qui est cette fille, Jonas ?

Déjà le photographe reculait, comme s'il avait senti la tension qui émanait de Jonas.

Jonas la poussa dans la voiture.

— Fichus paparazzis ! marmonna-t-il entre ses dents tout en s'installant au volant.

— Pourquoi voudraient-ils une photo de nous ?

— Ne vous inquiétez pas, ils n'en feront sans doute rien.

Jonas, habitué à croiser des journalistes, semblait malgré tout peu perturbé par l'intervention de la presse.

Elle et lui venaient vraiment de deux mondes complètement différents.

Ravenna n'aurait jamais cru que partager cette maison avec Jonas soit si facile : en réalité, ils faisaient en sorte de s'éviter. Elle devait pourtant admettre que le simple murmure de sa voix grave à travers une porte entrouverte suffisait à la faire frissonner, tout comme l'odeur virile et épicée qui imprégnait la salle de bains la faisait rêver à son grand corps nu.

Elle en apprenait chaque jour davantage à son sujet : il faisait lui-même son lit, avait un faible pour les biscuits et les gâteaux et l'habitude de laisser sa tasse de café à moitié pleine quand son travail l'absorbait.

Jonas dirigeait sa société à distance entre ses rendez-vous avec les responsables des monuments historiques, des entrepreneurs et autres corps de métier. De temps en temps son assistant, un jeune homme amène, arrivait avec son ordinateur, et tous deux s'enfermaient alors dans le bureau des heures durant. Lorsque Ravenna leur apportait en-cas et rafraîchissements, Stephen la remerciait toujours en souriant tandis que Jonas se contentait d'un mouvement de tête.

Ravenna en éprouvait presque du soulagement. Elle ne souhaitait pas son attention mais…

Une vague de chaleur entre les cuisses lui rappela son rêve de la nuit précédente, ce qu'elle avait supplié Jonas de lui faire et qu'il lui avait si volontiers accordé…

Bien que rassurée d'avoir retrouvé sa libido, preuve que son pauvre corps meurtri reprenait goût à l'existence, Ravenna aurait tout de même préféré que son choix ne se porte pas sur un homme qui s'était donné pour mission de détruire sa vie.

Elle posa une pile de livres reliés sur le bureau et s'essuya le front. Il faisait vraiment chaud dans la bibliothèque car elle avait branché tous les radiateurs qu'elle avait pu trouver afin de faire sécher les nombreux volumes abîmés par l'humidité.

Si seulement Jonas pouvait engager quelqu'un pour l'aider…

Elle remonta sur l'échelle pour finir de vider l'étagère du haut.

— Faites attention !

La voix profonde de Jonas résonna dans la pièce, la faisant aussitôt frissonner.

— Auriez-vous peur que je vous dénonce en cas d'accident ?

Ravenna tourna la tête et sentit son ventre s'embraser en l'apercevant vêtu d'une chemise blanche et d'un jean qui moulait ses cuisses musclées.

— Ou bien craignez-vous que je vous écrase en tombant ?

— Je suis sûr de pouvoir supporter votre poids, Ravenna, murmura-t-il avec un sourire.

Jonas s'avança tout en observant les pieds nus de Ravenna, son éternel jean, le T-shirt qui moulait ses seins et son visage écarlate, puis il se planta devant l'échelle, tentant de reprendre le contrôle de son corps rebelle assailli de désir.

Il avait évité Ravenna toute la semaine, pensant que la fascination qu'elle exerçait sur lui s'atténuerait, mais chaque fois qu'elle entrait dans son bureau il perdait le fil de ses pensées, et fixait d'un air absent l'écran de son ordinateur.

— Qu'avons-nous ici ?

Il s'arrêta devant le bureau et saisit un mince volume.

— Celui-là était dans le petit secrétaire près de la fenêtre et les plus gros sur cette étagère.

Stupéfait de reconnaître l'écriture de sa mère, il sentit un frisson le parcourir.

Il ignorait qu'elle avait tenu un journal et avait du mal à l'imaginer coucher ses pensées sur le papier. Une date inscrite sur la première page lui apprit que ce carnet avait presque son âge. Intrigué, il commença à le feuilleter lorsque Ravenna le vit blêmir.

— Jonas ?

Le temps qu'elle descende de l'échelle, il s'était laissé tomber dans un fauteuil.

7.

Je sais à présent que c'est vrai. Piers a une liaison.
Comment cela a-t-il pu se produire alors que je
l'aime tant ?

La jeune femme qu'était sa mère à l'époque avait
confié son désespoir de surprendre Piers en compagnie
d'une femme, belle et pleine de vie, qualités qui d'après
elle lui faisaient défaut.

Jonas sentit son cœur se serrer en découvrant que
Piers n'avait eu aucun scrupule à tromper sa femme
peu après leur mariage, après qu'il eut mis la main sur
son argent.

Un goût de bile dans la bouche, Jonas ne put empêcher
les souvenirs d'affluer, les scènes dont il avait été témoin
et qu'il avait prétendu oublier, les cris, les menaces et le
désespoir de sa mère qui s'était repliée sur elle-même
après le départ de Piers.

Ayant grandi au sein d'un tel couple, il avait développé
un rêve : faire de Deveson Hall le foyer chaleureux de la
famille qu'il s'était juré de fonder avec une femme belle
et aimante, une bande d'enfants aux rires joyeux, une
personne au grand cœur comme Mme Roberts présidant
dans la cuisine et, pour compléter le tableau, les animaux
de compagnie qu'il n'avait jamais été autorisé à avoir.

Comme il évoquait ces images, un sourire amer se

dessina sur son visage. N'était-ce pas la raison de sa présence au manoir ? Superviser d'abord la rénovation, puis organiser son mariage en vue de fonder une famille ?

Les traditions étaient encore plus importantes aux yeux de Jonas qu'à ceux d'un enfant ayant grandi au sein d'une famille aimante. Il avait absorbé l'histoire du manoir et des Deveson avec enthousiasme, ravi d'échapper ainsi au vide de sa propre vie. A présent, il avait besoin d'héritiers pour remplir ce vide et partager ces traditions.

En cet instant, face à la détresse de sa mère, il éprouvait un sentiment profond de solitude et de culpabilité.

Qui pensait-il tromper en songeant qu'il pouvait fonder une vraie famille alors qu'il n'avait jamais connu ni l'amour ni la bienveillance ?

— Jonas ?

Sentant une main effleurer la sienne, il se rendit compte que le carnet était tombé et aperçut alors, posés sur les siens, les doigts fins de Ravenna. Un enivrant parfum de miel et de cannelle flottait autour d'elle.

— Vous vous sentez bien ?

Il ouvrit la bouche mais aucun son n'en sortit.

Que pouvait-il dire ? Que le célèbre Jonas Deveson, celui qui suscitait l'admiration de tous, dirigeait une entreprise multimilliardaire et dont les idées étaient suivies par les investisseurs du monde entier, se sentait seul au monde ?

La douleur émanant du journal de sa mère l'avait mis à nu.

Malgré son bon sens et son talent pour les affaires, il n'avait pas été capable de lui venir en aide et l'avait laissée sombrer dans le désespoir.

— Jonas !

Ravenna s'accroupit devant lui, l'air inquiet. La

sensation de sa main sur la sienne était si douce qu'il sentit sa poitrine se dénouer un peu.

— Que se passe-t-il ?

Lorsqu'elle approcha son visage du sien, il se perdit dans l'éclat doré de ses yeux.

— Rien.

— Vous avez l'air bouleversé.

Elle se penchait pour ramasser le carnet lorsque Jonas lui saisit le poignet.

— Laissez, c'est de l'histoire ancienne.

Il ne comprenait pas comment des émotions enfouies depuis si longtemps avaient pu le déstabiliser de la sorte, mais la présence de Ravenna le réconfortait. Il resserra son étreinte.

— Attendez, je vais…

— Non !

Il l'attira vers lui pour l'empêcher de le ramasser, la faisant tomber à genoux.

— C'est le journal de ma mère, expliqua-t-il. Elle y raconte la première liaison de Piers, la suivante et bien d'autres. Ce n'est pas une lecture que je recommande.

Il avait essayé d'être désinvolte mais sa voix l'avait trahi.

— Je vois…

Il se rendit compte qu'elle lisait en lui car il n'y avait pas seulement de la compassion dans les yeux de Ravenna, mais aussi de la pitié.

De la pitié pour *lui* !

Jonas se révolta à cette idée.

Il avait passé sa vie à saisir le monde à bras-le-corps, prouvant qu'il était fort et triomphant. Son nom était synonyme de succès. Il ne voulait pas de sa pitié !

Ravenna était là, à ses pieds, avec ses lèvres douces et désirables, sa peau au parfum de cannelle et ses seins pointant à travers son fin T-shirt. L'anticipation était si forte qu'il pouvait presque la goûter.

Il resserra les jambes autour de Ravenna, heureux de cette diversion qui lui était offerte.

Elle se figea, incrédule.

— Je pense que je ferais mieux de me relever, dit-elle d'une voix rauque.

— Je croyais que vous vouliez m'aider à me sentir mieux.

Il se pencha vers elle, rencontrant son regard doré.

— Je ne pense pas en être capable.

— Oh que si ! dit-il en passant la main dans le cou de Ravenna, dont le pouls battait à toute allure.

Il ne voulait ni pitié ni compassion, mais quelque chose de plus simple et plus satisfaisant qui le fasse se sentir vivant, entier, et non plus coupable et pathétique.

Il l'attira vers lui et, avant qu'elle ne puisse protester, posa sa bouche sur la sienne. Une spirale de désir brûlant les engloutit.

Ses lèvres étaient aussi douces qu'il s'y était attendu, mais d'un goût encore plus délicat. Délicieux. Addictif. Parfait.

Il la pressa contre lui, serrant les jambes autour de ses hanches et imaginant les siennes autour de sa taille.

Une vague de chaleur déferla sur lui.

Il la voulait, tout de suite.

La tête de Ravenna se mit à tourner lorsque Jonas la prit dans ses bras et caressa le bout de son sein. Ses pensées tourbillonnaient tandis que son corps répondait aux demandes urgentes de Jonas. Qu'attendait-elle de lui ?

Certainement pas la sécurité. La bouche de Jonas, son corps enflammé contre le sien et le désir brûlant qui coulait dans ses propres veines lui suffisaient. Qu'ils soient ennemis n'avait aucune importance.

Peut-être avait-elle besoin de cette promesse de plaisir

70

après avoir été si proche de la mort ? Elle se sentait si *vivante* dans ses bras...

Ou était-ce l'idée d'être désirée par un homme si séduisant et charismatique qui l'excitait ?

Lorsque Ravenna sentit les longues mains de Jonas se glisser sous la ceinture de son pantalon et prendre ses fesses en coupe pour plaquer ses hanches contre sa virilité, elle abandonna toute retenue, glissant les mains dans ses cheveux, tirant sur ses boucles sombres et brillantes.

— Encore, l'entendit-elle murmurer d'une voix rauque.

Bientôt, leurs deux corps ondulaient en une danse d'un érotisme qui la fit frissonner au plus profond d'elle-même.

Elle tira sur les boutons de la chemise de Jonas, gémissant de frustration devant la maladresse de ses gestes. Elle voulait sa peau contre la sienne.

— Oui, caresse-moi...

Il arracha sa chemise, laissant Ravenna explorer son torse, les contours de sa poitrine, ses pectoraux couverts d'une fine toison et, plus bas, la peau douce de son ventre.

Elle venait d'atteindre la barrière de son jean lorsque Jonas la renversa délicatement sur le tapis et lui ôta son pantalon, entraînant avec lui son slip.

Elle avait encore la possibilité de recouvrer ses esprits mais était si excitée qu'elle se mit à haleter en le regardant jeter ses vêtements sur le côté. Une lueur métallique brillait dans les yeux de Jonas tandis qu'il dévorait des yeux son corps nu.

— Jonas...

Son nom seul était un aphrodisiaque.

— Venez...

Elle tendit la main et il planta un baiser dans sa paume avant de se détourner.

Ravenna allait protester lorsqu'elle vit qu'il était

en train de déchirer un petit emballage pris dans son portefeuille.

Lorsqu'il défit son jean, elle sentit son ventre se serrer en un mélange d'anticipation et de doute à la vue de son érection, mais le contact de son corps contre le sien dissipa ses craintes. Elle adorait la sensation d'être emprisonnée par ses bras et lorsque, baissant la tête, il suça le bout de son sein à travers son T-shirt, elle se cambra en soupirant.

Elle voulait certes sa bouche mais voulait plus encore… Lui prenant alors la tête entre ses mains, elle murmura d'une voix suppliante :

— Je te veux… toi.

Jonas se positionna alors au-dessus d'elle et la pénétra d'un coup de reins, lui arrachant un gémissement de plaisir. Puis, remontant son T-shirt, il s'empara de son autre téton qu'il titilla avec insistance tandis qu'il se retirait et replongeait plus profondément en elle.

Soudain, Ravenna explosa, se cambra et cria son nom, les mains accrochées à ses cheveux, tandis qu'une tempête l'emportait dans un plaisir d'une exquise intensité.

Alors que l'extase lui donnait l'impression de flotter, elle le sentit aller et venir en elle, ravivant son désir. Comment cela était-il possible ? Ce devait être son regard brûlant qui la retenait captive, les poussées de son corps en parfaite harmonie avec le sien et cette sensation intense et particulière qui la comblait.

Ravenna fit glisser ses mains sur son torse chaud et humide et agrippa ses fesses, l'attirant davantage encore en elle, avide de partager son plaisir.

— Ravenna !

En l'entendant crier son nom tandis qu'il la prenait avec fougue, ses yeux dans les siens, elle eut l'impression que leurs deux corps vibraient, à l'unisson cette fois. L'extase de Jonas était sienne. Chaque soubresaut de plaisir était partagé, chaque gémissement, chaque délicieux frisson et tressaillement.

Jonas continuait de la regarder droit dans les yeux, appuyé sur ses avant-bras. Elle posa les mains dans son dos et l'attira contre elle.

— Je suis lourd, dit-il d'une voix douce qui émut Ravenna.

— Non, viens contre moi.

Il se laissa aller, la poitrine posée sur la sienne, son cœur battant contre le sien. Cela semblait si naturel, comme si elle avait attendu ce moment toute sa vie.

Elle n'avait connu qu'un homme avant Jonas, séduisant, amusant et charmant, mais jamais elle n'avait éprouvé avec lui une telle sensation de plénitude. C'était comme si elle avait enfin trouvé sa place dans le monde. Comme si elle était chez elle, avec Jonas…

Elle était à peine consciente des larmes qui roulaient sur ses joues tandis qu'elle le tenait serré contre elle.

Soulevant dans ses bras Ravenna alanguie, Jonas se dirigea vers sa chambre, étonné de la trouver si légère. Il y avait en elle une délicatesse qui le touchait et lui donnait envie de la garder contre lui.

Le cynique en lui voulait croire qu'elle jouait pour réveiller son côté protecteur, mais il avait vu son expression stupéfaite pendant qu'elle jouissait et l'avait sentie se convulser sous l'effet des vagues de plaisir.

Jonas n'avait jamais rien vécu d'aussi intense, comme si la passion de Ravenna l'avait transformé. Il se sentait… différent.

Il resserra les bras autour d'elle avec satisfaction tout en poussant du pied la porte de sa chambre. C'était *cela* qu'il voulait d'elle. Du sexe, de la passion mais surtout pas de pitié.

Jonas déposa Ravenna sur le lit, prenant le temps d'admirer le dessin de ses lèvres pulpeuses et ses longs cils posés sur ses joues rosies. Il éprouva alors un sentiment étrange qui ressemblait à de la tendresse, et le besoin de prendre soin d'elle.

Son cœur se serra au souvenir de l'éclat de son regard pendant l'orgasme, de son émerveillement et de sa joie, si intense qu'elle en avait presque été douloureuse.

Sa main s'était déjà tendue pour caresser sa joue, mais il la retira. Même endormie, Ravenna était dangereuse.

Il réussit à se convaincre que seule l'intensité de son désir avait différencié cet instant des expériences passées.

Jonas hocha la tête, satisfait de son explication. Il savait ce qu'il voulait de Ravenna, et cela n'avait rien à voir avec des sentiments. Il n'en avait jamais éprouvé avec aucune de ses partenaires précédentes et n'allait certainement pas commencer avec elle.

Il laisserait libre cours à ses sentiments avec sa femme, celle qui excellerait dans son rôle de mère, d'hôtesse et d'épouse.

Il fronça les sourcils, étonné que pour la première fois de sa vie sa vision de la femme parfaite avec qui construire son avenir parfait le laisse indifférent.

Il observa Ravenna et, remarquant sa joue rosie là où sa barbe naissante avait frotté, ressentit une satisfaction primaire à l'avoir marquée comme sienne.

Sa poitrine se serra et le doute s'insinua en lui. Non ! Il ne s'agissait que de pur désir, à ne pas confondre avec ses plans à long terme qui lui avaient permis de rester debout dans un monde où personne ne s'était jamais soucié de lui et où il avait appris à prendre au lieu de donner.

Comme il laissait son regard glisser sur les longues jambes fines de Ravenna, le triangle de poils sombre entre ses cuisses, son sexe s'éveilla, en désirant plus.

C'était *cela* qu'il voulait. Du plaisir physique et des orgasmes, même s'il devait admettre que rien ne l'avait ému autant que le moment où Ravenna l'avait attiré à elle, refermant autour de lui ses bras tremblants.

Jonas ôta son jean et la rejoignit dans le lit. Par réflexe, il passa un bras autour d'elle et la tint serrée contre lui, s'étonnant d'éprouver un plaisir innocemment érotique à son contact.

Quelques minutes plus tard, qui lui semblèrent des heures, il sentit les doigts de Ravenna bouger, comme si elle cherchait à deviner sur quoi elle reposait. Lorsqu'elle se blottit contre lui, au lieu de s'éloigner, tous les sens de Jonas s'enflammèrent.

Ravenna battit des cils et le regarda d'un air ensommeillé, ses lèvres s'ouvrant sur un sourire qui déclencha au plus profond de lui une sensation inconnue jusque-là, et qu'il ressentit de nouveau lorsque sa main commença à le caresser avec douceur.

Le sentiment de plénitude qu'il éprouva à ce contact le surprit. Pour la première fois après une étreinte, il se sentait calme, apaisé et heureux.

— Merci.

La voix rauque de Ravenna l'enveloppa telle une caresse.

Encore une nouveauté… Combien de maîtresses l'avaient remercié même lorsqu'il avait fait passer leur plaisir avant le sien ?

— Tu te sens bien ?

Elle tenta de se relever, mais il la maintint contre lui.

— Merveilleusement bien, répondit-elle avec un doux sourire tandis que ses joues se coloraient.

En plus, elle rougissait et le remerciait de l'avoir prise avec la délicatesse d'un adolescent excité ? Décidément, Ravenna était loin d'être la femme qu'il avait imaginée.

— Je ne t'ai pas fait mal ?

Elle secoua la tête.

— Non. Je t'ai dit que j'avais aimé. Pas toi ?

La voix de Ravenna s'infiltrait dans ses veines, se nichait dans son ventre, dans son cœur.

— Si, bien sûr.

Il laissa glisser sa main sur la hanche de Ravenna, persuadée qu'il aurait dû se lever et partir, mais s'en sentant incapable. Il nota qu'elle retenait son souffle.

— Et si nous recommencions ? murmura-t-il.

— Je ne pensais pas dire cela un jour, mais je trouve que tu as des idées de génie, Jonas Deveson.

Leurs regards se rencontrèrent et il sentit de nouveau ce curieux serrement dans la poitrine.

En cet instant, il voulait bien plus que du sexe.

8.

Ravenna se réveilla en souriant dans le lit de Jonas mais découvrit avec un pincement au cœur qu'il n'était plus là.

Il lui avait suffi d'un après-midi avec lui pour apprendre des choses qu'elle n'aurait jamais cru possibles.

Qu'elle possédait des zones érogènes jusque-là inconnues d'elle.

Qu'elle était capable de lui faire perdre son sang-froid.

Qu'emportée par le plaisir, elle avait plusieurs fois crié son nom et qu'il l'avait même encouragée.

Qu'elle avait un faible pour des yeux gris, une large poitrine et des mains si expertes.

Qu'elle avait un faible pour Jonas Deveson.

Il lui avait tout d'abord fait l'amour avec tendresse malgré l'urgence de leur désir, se montrant la deuxième fois doux, attentionné, et la comblant de caresses jusqu'à ce que le plaisir les submerge de nouveau.

Cela avait été merveilleux, et Ravenna avait la sensation qu'ils avaient partagé bien davantage que leurs corps.

Cet aboutissement de leur passion était inévitable. Elle n'avait pas compris, à Paris, pourquoi elle s'était mise à frissonner dès qu'il était entré dans l'appartement, ni ensuite pourquoi elle s'était sentie nerveuse en sa présence. Manquant d'expérience, elle avait interprété cela comme une réaction de rejet et non d'attirance…

Ravenna regarda en direction de la porte. Jonas n'allait pas tarder à revenir, et ils devaient réfléchir à ce qu'il allait se passer à présent que leur relation avait changé de façon irrévocable.

Jonas était plus sensible qu'elle ne l'avait imaginé et il avait dû comprendre à son contact qu'elle n'était pas une femme vénale et méprisable. Cette pensée lui donna du courage. Il avait, comme elle, dû sentir l'intimité qui était née entre eux.

Ravenna avait l'impression de mieux comprendre Jonas. L'agressivité dont il avait fait preuve à son égard jusque-là venait des dures réalités qu'il avait affrontées dans sa jeunesse.

Elle se souvint avec émotion de la peine de Jonas alors qu'il lisait le journal intime de sa mère. Même s'il avait peu parlé de sa relation avec elle, la femme de Piers semblait avoir été plus égocentrique que maternelle.

Tous deux avaient certes encore beaucoup à apprendre l'un sur l'autre mais cette histoire d'argent volé restait un obstacle presque insurmontable. Avouer la vérité à Jonas était impossible, car il serait sans doute ravi de saisir l'occasion de se venger de Silvia.

Ravenna était à présent pourtant presque certaine qu'il la comprendrait — à condition qu'elle arrive à lui parler.

En entendant soudain son téléphone portable sonner à travers la porte de la salle de bains, elle s'enroula dans une serviette et se précipita dans sa chambre.

— Ravenna ?

— Maman ? Que se passe-t-il ? Tu vas bien ?

— Oui, mais je me fais du souci pour toi. Que t'a fait cet homme ?

— De qui parles-tu ? répondit Ravenna en se figeant.

Elle n'arrivait pas à croire que sa mère ait deviné ce qui venait de se passer.

— Inutile de faire l'innocente, ma chérie. Je sais que tu es avec Jonas Deveson.

Ravenna se laissa tomber sur le lit. Comment cela était-il possible ?

— J'ai vu une photo de vous en train de faire des courses, dans un magazine.

Sans doute l'œuvre du paparazzo qui les avait surpris à la sortie du supermarché !

— D'après les journalistes, tu es sa petite amie et vous vous cachez dans votre nid d'amour.

Silvia sentit la panique la gagner.

— Dis-moi que ce n'est pas vrai, que tu n'es pas assez stupide pour être tombée amoureuse de lui !

— Calme-toi, maman, tu n'as aucun souci à te faire.

— Tu n'as pas vu la façon dont il te regarde sur la photo ! Ravenna, reprit sa mère d'une voix plus calme mais vibrant d'inquiétude, dis-moi que tu n'as pas cru ses mensonges.

— Jonas n'est pas un menteur.

— Oh ! mon Dieu, c'est donc vrai, n'est-ce pas ?

— Ecoute, maman, je ne suis plus une petite fille, j'ai vingt-quatre ans et je t'assure que Jonas est charmant avec moi !

Etant donné la façon dont sa mère réagissait à la vue d'une simple photo, ce n'était pas le moment de lui dire la vérité sous peine de la voir débarquer en Angleterre pour se jeter dans la gueule du loup. Malgré son envie de la voir, Ravenna préférait la savoir à l'abri en Italie.

— Je… travaille pour lui, en tant que gouvernante intérimaire.

— C'est là le poste dont tu m'avais parlé et que tu trouvais si prometteur ?

Silvia ne pouvait en croire ses oreilles.

— Tu t'étais juré de ne jamais travailler comme employée de maison.

En effet, Ravenna s'était promis de ne jamais être au service de quiconque après toutes les années passées à l'école à se sentir inférieure aux autres, mais c'était avant que sa mère détourne de l'argent pour *elle*.

— Jonas va donner un bal à l'occasion de l'inauguration du manoir et il m'a chargée d'organiser la soirée. J'aurai ainsi l'occasion de montrer mes compétences et qui sait, peut-être, d'avoir d'autres opportunités de travail.

Silvia soupira.

— Promets-moi de garder tes distances. Cet homme me tient pour responsable de la mort de sa mère et serait prêt à tout pour se venger. Mais je te jure que j'ignorais que Jennifer tenait encore à Piers. Comment aurais-je pu le savoir ? Elle ne cessait de le critiquer, le pauvre…

— Je sais.

Ravenna avait déjà entendu cette histoire et savait combien Piers et sa mère avaient été amoureux.

— Jonas ne me fera aucun mal.

Il avait déjà pris sa revanche, que pouvait-il faire de plus ?

— N'en sois pas si sûre. C'est un séducteur-né, mais au-delà de son charme se cache un homme froid et calculateur, désireux de régler ses comptes avec toi.

— Il a peut-être plus de qualités que tu ne le penses. De plus, c'est Piers qui a détruit leur famille, pas lui.

Un silence accueillit ses paroles. Ravenna n'avait jamais jugé Piers devant sa mère de manière aussi directe, bien qu'ayant toujours vu d'un œil critique sa façon irresponsable d'aborder la vie.

— Je sais, finit par répondre Silvia avec une telle détresse dans la voix que Ravenna sentit son cœur se serrer.

— Je suis désolée, maman. Je…

— Je m'inquiète pour toi. Quoi que tu penses de Jonas Deveson, rappelle-toi qu'il n'a pas la légèreté de son père. Il est toujours en quête de perfection et, en ce qui concerne les femmes, cela signifie qu'elles doivent être issues des meilleures familles. A ses yeux, tu resteras à jamais la fille de la gouvernante. Pire, ta présence lui rappellera en permanence notre couple, qu'il n'a jamais accepté.

Ravenna s'était déjà répété tout cela… avant.

— Jonas Deveson ne peut t'offrir au mieux qu'une liaison passagère, et au pire… tu n'as qu'à regarder dans ses yeux pour comprendre le sens du mot revanche.

Ravenna sentit sa gorge se serrer en pensant à la peur qu'elle avait ressentie à Paris.

— Excuse-moi, maman, lança-t-elle soudain, je dois te laisser, mais surtout ne t'inquiète pas, je suis tout à fait capable de prendre soin de moi.

Ravenna se sentait pourtant troublée. Elle n'était pas assez naïve pour croire que Jonas l'aimait, mais l'attirance, plus forte que les préjugés, qui les poussait l'un vers l'autre en dépit des raisons qui auraient dû les éloigner, valait la peine d'être explorée.

Il était temps de dissiper le doute qui la rongeait.

Elle allait prendre un pantalon dans sa penderie lorsque, se ravisant, elle sortit la seule robe qu'elle avait apportée : elle voulait voir les yeux de Jonas briller de désir.

En revenant dans sa chambre, Jonas trouva Ravenna en train de faire le lit et faillit se demander s'il n'avait pas rêvé les heures de passion qu'ils avaient partagées.

Pourtant, son corps réagit aussitôt en découvrant sa petite robe moulante qui dévoilait ses longues jambes fines et dont le décolleté laissait deviner la naissance de sa poitrine.

Le désir terrassa Jonas, stupéfait de la désirer encore.

Il se passa une main dans les cheveux. Il s'était levé pour aller chercher refuge dans son bureau dans l'espoir de se ressaisir, or un seul regard suffisait à le déstabiliser.

— J'allais descendre, dit-elle d'une voix rauque et terriblement sexy.

Elle s'avança vers lui puis s'arrêta soudain comme si elle avait changé d'avis.

— J'étais dans mon bureau.

Lorsque la lecture du journal de sa mère était devenue trop pénible, il s'était réfugié dans le souvenir de Ravenna jouissant entre ses bras, plus radieuse et vivante que toutes les femmes qu'il avait connues.

Il fronça les sourcils. Qu'est-ce qui la rendait différente des autres ?

Il n'était même pas revenu dans sa chambre dans l'espoir d'une nouvelle étreinte, mais simplement pour être avec elle car il se sentait bien en sa compagnie.

Ceci était nouveau et troublant.

— Pourquoi voulais-tu me voir ?

Le bref haussement d'épaules de Ravenna trahit sa nervosité.

— Nous devons discuter.

Il hocha la tête tout en s'avançant dans la pièce.

— De quoi ? demanda-t-il d'un ton bourru.

La voyant baisser les yeux, Jonas se reprocha son manque de courtoisie. Il se sentait à cran.

— De nous.

Jonas se tendit.

— De ce qui s'est passé, précisa-t-elle en fixant un point par-dessus l'épaule de Jonas.

Il crut soudain comprendre. Il s'était protégé, comme toujours, mais le dernier préservatif s'était déchiré.

— Tu prends la pilule ?

— Non.

Lorsqu'elle le regarda, il ne discerna aucune inquiétude sur son visage, seule une expression indéfinissable.

— Je vois.

Si la situation se compliquait, il était prêt à assumer ses responsabilités.

— Si tu tombais enceinte…

— Cela ne se produira pas, l'interrompit-elle d'une voix sourde.

— On ne sait jamais.

Elle secoua la tête d'un air déterminé.

— Tu n'as pas à t'inquiéter à ce sujet.

Il sentit son estomac se serrer. Il avait éprouvé un grand choc en apprenant dans le journal de sa mère pourquoi il était fils unique. Après sa naissance, Jennifer avait subi une interruption de grossesse et s'était ensuite assurée de ne plus avoir d'enfant avec l'homme qui l'avait trahie.

— Pourquoi ? Tu mettrais fin à ta grossesse ?

Ravenna se figea.

— Bien sûr que non ! Je connais mon corps, tu n'as aucun souci à te faire.

Jonas se rendit alors compte qu'il éprouvait une ombre de regret : l'idée de Ravenna enceinte de lui avait éveillé son instinct de possessivité ; c'était ridicule.

— De quoi voulais-tu discuter alors ?

— De nous. Que va-t-il se passer maintenant ?

En cet instant, toutes les pensées de Jonas impliquaient Ravenna, nue dans ses bras. Il fit un pas en avant mais s'arrêta en la voyant se raidir. Et si elle ne se sentait pas bien ?

— Les choses sont différentes à présent, lança-t-elle en le regardant droit dans les yeux, n'est-ce pas ?

Voulait-elle l'entendre admettre que sa sensualité et sa profonde générosité l'avaient bouleversé ? Incapable de savoir ce qu'il désirait de Ravenna, si ce n'est qu'il en voulait plus, il ne reconnaîtrait rien avant d'avoir compris.

— Jonas ?

— Tu veux savoir ce que nous allons faire ? demanda-t-il avec un léger haussement d'épaules destiné à dissimuler le fait qu'il détestait se sentir acculé. Nous allons tous deux nous remettre au travail.

— C'est tout ?

— J'ai aussi une envie folle de t'attirer dans mon lit.

— Je ne parlais pas de ça, répliqua-t-elle en rougissant.

— Ah bon ? De quoi alors ?

Il était désolé mais refusait de se laisser entraîner à discuter de *sentiments*, si c'était ce qu'elle avait en tête.

— Je vois…

Ravenna croisa les bras devant elle.

— Si je comprends bien, tout continue comme avant avec quelques intermèdes torrides lorsque l'envie t'en prendra, c'est ça ?

— C'est déjà un net progrès.

Ne la voyant pas répondre à son sourire, Jonas se demanda combien de temps il lui faudrait pour la séduire de nouveau. Malgré son attitude distante il savait, en voyant le bout de ses seins se dresser sous sa robe et son pouls s'accélérer à la naissance de sa gorge, qu'elle ne pourrait pas lui résister.

— Soyons clairs, répliqua-t-elle en décroisant les bras et en s'approchant de lui, tu penses qu'après ce que nous venons de partager rien n'a changé, sauf que tu as désormais des droits sur mon corps ?

Elle secoua la tête.

— Tu te trompes de siècle, Jonas. Le droit de cuissage est aboli depuis des lustres.

Il se raidit.

— Personne ne t'a forcée, Ravenna ; tu avais envie de moi, toi aussi.

— C'est vrai, reconnut-elle, mais cela ne signifie pas que tu puisses espérer me voir trimer pour toi et répondre aussi à tes avances. Je mérite mieux que ça.

Jonas remarqua son attitude de défi et la colère qui brillait dans ses yeux, mêlée à ce qui semblait être de la déception.

Soudain, il comprit. Comment avait-il pu se montrer si naïf ?

Tout comme sa mère, Ravenna était prête à vendre son corps, mais à condition qu'il annule sa dette.

Colère et rancœur s'emparèrent de lui lorsqu'il se rendit compte que, malgré ce qu'il avait ressenti, leur moment d'intimité se réduisait à la transaction sordide d'une femme vénale.

Comme les yeux de Jonas s'assombrissaient, Ravenna eut l'impression de le revoir à Paris et sentit un frisson courir dans son dos.

S'était-elle bercée d'illusions ? La vulnérabilité et le charme de Jonas étaient-ils, ainsi que l'en avait avertie sa mère, des leurres destinés à l'amener à baisser la garde dans le seul but de se venger de leur famille ?

Elle ne voulait pas le croire.

— Qu'avais-tu en tête, Ravenna ? murmura-t-il d'une voix suave qui lui donna la chair de poule.

— Je voulais parler avec toi, apprendre à mieux te connaître.

Malgré le regard froid de Jonas elle poursuivit :

— Je voulais aussi discuter avec toi des rénovations.

— Ah bon ? demanda-t-il avec une moue étonnée.

— Si tu veux remettre tout le bâtiment en état, je vais avoir besoin d'aide.

— Tu penses pouvoir épargner tes mains délicates maintenant que tu as couché avec le propriétaire ?

Ravenna chancela et prit une profonde inspiration pour réprimer la nausée qui montait. Une fatigue familière envahit ses membres, lui faisant craindre de ne pas avoir la force physique de tenir tête à Jonas.

Par pitié, pas devant lui !

— Au cas où tu ne l'aurais pas remarqué, je n'ai jusque-là pas reculé devant l'ampleur de la tâche que tu m'as imposée.

— Tu sais ce que je veux dire. T'imagines-tu que parce que nous avons couché ensemble je vais effacer ta dette, ou bien veux-tu davantage encore ?

Ravenna recula sous la force de son mépris.

— Tout ce que je *veux*, répliqua-t-elle en serrant les dents, c'est un peu de respect.

— C'est tout ? J'aurais parié que tu avais les mêmes attentes que ta mère !

Ravenna serra les poings, réprimant la violence qu'elle sentait monter en elle.

— Tu es ignoble.

— Je t'avais prévenue, je ne partage pas la faiblesse de mon père pour les domestiques, asséna-t-il avec un petit sourire qui brisa le cœur de Ravenna. Mais cela ne m'empêche pas de prendre ce que l'on m'offre, ajouta-t-il.

Elle frémit sous son regard qui la déshabillait.

— Je ne t'offre *rien*.

— Qu'une chose soit claire, Ravenna, insista-t-il d'une voix dure en se penchant vers elle : si tu t'attends à quelque chose de permanent, tu te trompes.

Ravenna aurait aimé que sa mère se soit trompée, que Jonas soit l'homme en qui elle avait commencé à croire. Elle avait confondu sexe et sentiments et en payait à présent le prix.

— Ne t'inquiète pas, j'ai compris. Dans ta famille les femmes Ruggiero doivent se contenter du rôle de maîtresses.

Rassemblant ses forces, elle réussit à sourire avant d'ajouter :

— Je n'avais jamais envisagé une relation à long terme car j'ai besoin pour cela de respecter mon partenaire. Mais merci quand même pour ta mise au point.

Ignorant son regard dur, elle s'éloigna, la tête haute malgré ses jambes tremblantes, et claqua la porte derrière elle.

9.

Jonas referma le classeur contenant les projets du décorateur, s'appuya contre le dossier de son fauteuil et frotta ses yeux rougis par le manque de sommeil. Depuis la discussion orageuse qu'il avait eue avec Ravenna, il n'arrivait pas à se concentrer.

Les femmes Ruggiero doivent se contenter du rôle de maîtresses.

Bien que Ravenna ait exprimé d'un air fier ce qu'il pensait au même instant, le chagrin qui avait voilé son regard avait soudain chassé sa colère froide. Il reconnaissait avoir réagi de manière exagérée, l'agressant sans même la laisser s'exprimer !

Il lui était sans doute plus facile de considérer Ravenna comme une opportuniste que de croire qu'elle valait mieux que cela.

C'était ce « mieux » qui l'avait attiré, et pas seulement sa sensualité : malgré leurs différends elle se montrait serviable, attentionnée et ne ménageait pas ses efforts pour venir à bout de la tâche titanesque qu'il lui avait imposée, faisant preuve d'un courage et d'une détermination hors du commun. Enfin, bien qu'assumant les conséquences de ses actes, elle ne se laissait pas marcher sur les pieds.

A Paris, il l'avait prise pour une menteuse, bien différente de l'adolescente honnête et attachante qu'il avait connue. Or la scène qui s'était produite dans la chambre prouvait qu'il avait tort : malgré son attitude de défi, Ravenna n'avait pu dissimuler sa honte et son angoisse.

Il avait l'impression d'avoir profité d'elle.

Pour la première fois il se demanda ce qu'elle avait ressenti lorsque sa mère s'était affichée avec Piers, ravi du scandale causé par son éblouissante maîtresse. S'était-elle sentie humiliée par les rumeurs selon lesquelles sa mère avait jeté son dévolu sur lui à cause de son argent ?

Cela pourrait expliquer sa carapace de fierté.

Une fois cette pensée en tête, Jonas n'arriva plus à l'écarter, la culpabilité revenant le tourmenter au souvenir de la peine que Ravenna avait en vain tenté de dissimuler face à ses accusations.

Il repoussa son fauteuil et arpenta son bureau. En passant devant la fenêtre, il aperçut Ravenna en train de parler avec Adam Renshaw, l'architecte paysagiste.

Sentant les battements de son cœur s'accélérer, il mit un moment à réaliser qu'il était jaloux.

Tout n'était donc pas fini entre eux ! Cette constatation lui procura une espèce de soulagement.

Jusqu'à présent, aucune femme ne lui avait semblé irremplaçable. Même Helena Worthington, la ravissante blonde de bonne famille qu'il était presque décidé à épouser, n'avait pas été assez importante pour l'empêcher de coucher avec Ravenna.

Ravenna était la première femme dont il avait l'impression de ne pouvoir se passer. S'il voulait se libérer d'elle, il devait en découvrir la raison.

Revenu à son bureau, il remarqua une feuille de papier que Ravenna avait dû apporter en même temps que son café. Il s'agissait, comme chaque jour, d'une liste de problèmes demandant à être réglés, accompagnée de suggestions permettant d'y apporter une solution. Ravenna avait les yeux partout et un sens inné de l'organisation.

Son regard glissa de la liste au classeur. Cette jeune femme avait des talents qu'il pouvait mettre à profit. Cela lui permettrait de l'éloigner du jardin tout en la rapprochant de lui !

— Origan, cerfeuil, sauge, fenouil…, énuméra Adam Renshaw en souriant, vous avez mis plus d'une vingtaine de plantes sur cette liste !

— C'est trop ? s'enquit Ravenna

Lorsque le jeune paysagiste lui avait demandé son avis sur le potager, son enthousiasme pour le sujet avait relégué au second plan l'amertume de sa dispute avec Jonas.

Comment aurait-elle pu laisser passer la chance d'aider à créer ce qui promettait d'être un merveilleux jardin, alors qu'elle avait toujours rêvé d'avoir un jour un endroit comme celui-ci ? Le seul fait de se promener au milieu de ce jardin entouré de murs de pierres lui remontait le moral et l'empêchait de penser à Jonas. Dieu sait si elle en avait besoin !

— Pas du tout, j'apprécie que vous me donniez votre avis, répondit Adam tout en se rapprochant d'elle, et il reste assez de place pour les planter là. Je dois juste soumettre le plan final à M. Devenson.

— Est-ce bien mon nom que je viens d'entendre ?

Ravenna frissonna au son de cette voix suave et familière qui lui faisait chaque fois l'effet d'une caresse. Comment pouvait-elle réagir de la sorte alors que cette même voix l'avait agressée quelques jours auparavant ?

Adam se retourna sur-le-champ pour faire face à son employeur. Ravenna, elle, prit le temps de rassembler ses forces avant de croiser son regard. Allait-il encore l'ignorer, comme il l'avait fait le matin même ?

Le regard de Jonas était toujours aussi pénétrant, mais dénué de la froideur redoutée. Sachant qu'il avait les yeux posés sur elle, Ravenna redressa le menton et se rapprocha encore d'Adam.

— Bien sûr, disait ce dernier, tout est prêt, Ravenna et moi avons juste décidé de rajouter un carré d'herbes aromatiques.

Voyant le regard chaleureux et approbateur d'Adam se poser sur elle, Ravenna espéra pouvoir ressentir un soupçon d'attirance pour cet homme talentueux et charmant.

— Parfait. Dans ce cas, j'aimerais m'entretenir un instant avec Ravenna.

Jonas se tourna vers elle.

— Tu as quelques minutes à me consacrer ?

Il ne lui avait pas donné d'ordre, mais venait-il bien de lui poser une question ? Incrédule, Ravenna se força à acquiescer de la tête et prit congé d'Adam de façon délibérément trop chaleureuse.

— Vous avez l'air de bien vous entendre, fit remarquer Jonas en lui tenant la porte pour la laisser entrer.

— Adam est d'une compagnie très agréable.

— Avez-vous beaucoup de choses en commun ?

— Depuis quand ma vie privée t'intéresse-t-elle ? demanda Ravenna en se tournant vers lui. Je croyais que seule comptait mon habileté à frotter les parquets ou à écarter les jambes !

Les pommettes de Jonas s'empourprèrent.

— Bien envoyé !

L'indignation de Ravenna n'en faiblit pas pour autant.

— Que veux-tu, Jonas ?

Elle se sentait si lasse, ces derniers temps, qu'elle en était arrivée à se demander si sa maladie n'était pas revenue. L'inquiétude la rongeait, la maintenant éveillée la nuit. Cela, et son obsession pour Jonas...

— Entre, dit-il en lui indiquant son bureau.

Ravenna prit place dans un fauteuil. Si Jonas devait lui dire qu'il avait finalement décidé d'appeler la police, mieux valait qu'elle soit assise.

— Je suis désolé.

C'était bien la dernière chose à laquelle elle s'attendait !

— Ai-je bien entendu ?

— Je ne suis peut-être pas très doué, avoua-t-il, levant une main en signe d'impuissance, mais je suis en train de te demander pardon de m'être comporté de la sorte.

— C'est-à-dire ?

— Certainement pas pour le sexe, répondit-il avec un sourire furtif, mais pour la façon dont j'ai réagi après. Ce que je t'ai dit était bête et méchant.

— Tu ne penses donc pas que j'ai essayé d'effacer ma dette en te séduisant ?

— Je veux dire que je ne te connais pas assez pour pouvoir en juger.

Ce n'était pas ce qu'elle voulait entendre, mais il avait au moins le mérite d'être honnête.

Avait-elle pourtant envie d'attendre qu'il prenne le temps de l'apprécier à sa juste valeur ? Elle n'avait en réalité pas d'autre choix que de rester là, et ne se sentait pas la force de le repousser.

— J'ai eu tort de t'accuser au lieu d'écouter ce que tu voulais me dire, surtout après... ce que tu avais fait pour moi.

Comprenant qu'il n'avait pas l'habitude qu'on se soucie de lui, ou qu'on le voie si vulnérable, Ravenna se retint de répliquer.

Elle percevait dans son regard gris une certaine insécurité, comme s'il avait laissé tomber ses barrières pour montrer quel homme il était derrière sa façade autoritaire : celui qu'elle avait découvert le jour où ils s'étaient abandonnés à leur passion, si forte qu'elle avait tout emporté sur son passage, la laissant sans défense.

— Et alors ?

S'étant déjà méprise au sujet des sentiments de Jonas, elle s'efforça de ne pas croire à ses regrets apparents.

— Alors, je regrette…

Ravenna hocha la tête. Il semblait attendre une réponse, mais elle se tut.

— Et j'ai pris une décision.

Ravenna sentit ses mains devenir moites. Il *allait appeler la police !*

— Je vais engager des gens du coin pour aider au nettoyage, ainsi qu'aux tâches difficiles.

Ravenna le dévisagea, cherchant le piège.

— Mais je croyais que…

— Je sais. T'occuper du manoir était ta punition… mais je reconnais que j'ai exagéré.

N'en croyant pas ses oreilles, Ravenna répliqua d'un ton presque provocant :

— Est-ce que tu te sens bien ?

Jonas laissa échapper un éclat de rire qui atténua la sévérité de ses traits.

— J'aurais dû savoir que tu ne te contenterais pas de me remercier. Tu n'es pas du genre à me laisser m'en tirer à si bon compte.

Etait-ce une plaisanterie ? C'était pourtant lui qui avait le contrôle de la situation !

— Et que comptes-tu faire ? demanda-t-elle, la gorge serrée. Porter plainte contre moi, n'est-ce pas ?

Jonas reprit son sérieux.

— Non, pas pour l'instant. Tu vas rester ici et travailler en tant que gouvernante.

Pas pour l'instant. Il la tenait encore. Elle savait bien

que, sans preuve de son innocence, il ne la laisserait pas partir.

— J'espère simplement que nous serons capables de continuer de façon… plus civilisée.

Ravenna se redressa sur son siège.

— Si tu entends par là partager ton lit en guise de remerciement…

Jonas l'arrêta d'un geste de la main.

— Je n'ai jamais eu besoin de payer une femme pour la mettre dans mon lit, et ce n'est pas maintenant que cela va changer.

Ravenna devint écarlate. A présent qu'elle avait satisfait sa curiosité, elle ne l'intéressait plus.

— J'essaie juste d'être raisonnable, poursuivit-il, car nous ne pouvons pas continuer ainsi. Contrairement à ce que tu penses, je n'ai pas l'habitude de perdre patience.

En cela elle devait lui donner raison. Jonas Deveson, réputé pour être l'un des plus beaux partis d'Europe, riche, charmant, doté d'un esprit incisif, était aussi célèbre pour son sens de l'organisation que pour son caractère égal. Elle se demandait bien pourquoi elle avait eu le privilège de le voir se départir de son calme !

— Tu vas donc me traiter comme ta gouvernante, et pour moi tu seras mon employeur ?

Comment était-ce possible après ce qui s'était passé entre eux ?

— C'est l'idée, confirma-t-il en hochant la tête. Nous devons prendre du recul.

— Comment pourrais-je refuser ?

C'était mieux comme ça. Plus d'animosité, de désir incendiaire, et de sensation illusoire d'intimité. Elle ferait mieux de remercier sa bonne étoile au lieu de se sentir frustrée.

— Merci, Ravenna.

En croisant son regard, elle ressentit malgré elle une

vague de chaleur familière. L'attirance n'avait pas disparu mais elle était bien déterminée à ne rompre sous aucun prétexte la trêve qu'il venait de lui proposer.

— A propos, j'ai pensé que tu pourrais m'aider, lança-t-il en prenant le classeur sur son bureau. Viens voir.

Elle n'avait pas envie de s'approcher de lui, trouvant plus facile de conserver son sang-froid à distance.

— Ravenna ?

Elle s'avança à contrecœur, restant aussi loin que possible de Jonas qui commença à tourner les pages.

— J'avais demandé au décorateur une ambiance classique mais je ne suis pas sûr d'aimer le résultat.

Il lui montra la page présentant le projet pour l'un des salons, avec des tissus richement décorés et des photos d'imposant mobilier ancien. La pièce ressemblait à un musée.

— En quoi mon avis peut-il t'intéresser ?

— Tu as l'œil pour les détails et une parfaite connaissance des lieux. J'ai pensé que tu pourrais m'aider à décorer le manoir.

— Je ne suis que la gouvernante, tu te souviens ? Ton décorateur est payé pour ça.

Malgré le fait qu'il lui ait présenté ses excuses, elle n'arrivait pas à oublier les accusations de Jonas.

— C'est vrai. Mais au lieu de partir en courant en voyant l'état de délabrement de Deveson Hall ou de faire semblant de travailler tu as, en plus du ménage, rebouché des trous, sauvé les vieux livres, dressé une liste de réparations et même trouvé des artisans afin que le travail commence plus vite.

On devinait une certaine admiration dans sa voix.

— Tu as fait preuve d'un tel engagement, reprit-il, que j'aimerais avoir ton avis pour la décoration. Je pense que nous pourrions faire du bon travail ensemble si nous arrivions à faire abstraction de nos différences. Il va de soi, ajouta-t-il, que je déduirai de ta dette envers moi le temps que tu y consacreras.

Ravenna s'appuya sur le bureau, le cœur battant à tout rompre, sans savoir si elle était soulagée ou déçue que Jonas utilise cette dette comme une épée de Damoclès.

Cela n'avait bien sûr rien à voir avec les compliments qu'il venait de lui faire.

— Présenté ainsi, comment pourrais-je refuser ?

Ravenna détourna les yeux, faisant mine de se concentrer sur le classeur.

— A condition toutefois que tu fasses preuve de mansuétude, car je n'ai aucune expérience en la matière.

— Ne t'inquiète pas, le décorateur sera là pour nous aider. Je veux juste avoir un second avis sur certains points. Comme celui-ci.

Il indiqua du doigt un croquis du bureau, montrant un mobilier lourd de bois foncé et un tissu d'ameublement d'un vert trop soutenu.

— Qu'en penses-tu ?

— Tu voulais une ambiance classique, répondit-elle en haussant les épaules.

— Oui, mais encore ?

— Jusqu'à quel point puis-je être franche ?

— Je n'ai jamais eu de problème avec la franchise, Ravenna.

Elle éprouva soudain une terrible envie de lui dire la vérité, de tout lui révéler au sujet de sa mère, afin de se libérer du poids de son secret et de la mauvaise opinion de Jonas. Mais son amour pour Silvia l'en empêcha. Ravenna ne pouvait pas la livrer à sa merci.

— On dirait un décor sorti d'un livre de Dickens…

— C'est tout à fait ce que je pense.

— Vraiment ?

— Je ne m'imagine pas travailler dans cette atmosphère.

— Qu'est-ce que *tu* voudrais ? demanda-t-elle, soudain curieuse.

— Plus de lumière et d'espace, un fauteuil confortable, un grand bureau comme celui-ci.

— Garde-le alors, le bois est magnifique. Une fois restauré par un expert, il n'en sera que plus beau.

En voyant Jonas esquisser un sourire, Ravenna sentit son cœur se serrer. Des souvenirs brûlants qu'elle avait en vain essayé de chasser lui revinrent à l'esprit.

— J'y avais déjà pensé, dit-il. Et pour le reste ?

— Quelle couleur aimes-tu ?

— Doré, murmura-t-il tout en se penchant vers elle, sans la lâcher du regard. Mordoré, comme un vieux cherry.

Le souffle de Jonas sur son visage était comme une légère caresse. Sentant son pouls s'accélérer, Ravenna préféra faire un pas en arrière. Elle était ridicule d'imaginer que Jonas avait décrit la couleur très particulière de ses yeux.

— Alors dis-le à ton décorateur, répondit-elle en embrassant la pièce du regard, mais d'après moi une teinte un peu plus claire, un jaune pâle par exemple, ferait davantage ressortir le bois.

— Bonne idée. Et en ce qui concerne l'ameublement, j'adore les canapés Chesterfield de mon bureau mais je connais un jeune Allemand qui fait de très beaux sièges design. Penses-tu que le contraste serait choquant ?

Se rendant compte que Jonas ne lui avait pas tendu de piège et voulait vraiment avoir son avis, Ravenna se détendit.

— Non, cela apporterait une touche contemporaine à la pièce.

Elle sembla réfléchir un instant avant de lancer :

— Et si je dressais la liste de ce que nous devons faire ?

10.

Ravenna enfila une veste et sortit pour profiter du calme et de la solitude du petit matin.

Elle fit le tour de la maison, admirant la patine des pierres sous le soleil levant. Malgré sa taille impressionnante, le manoir lui semblait accueillant, peut-être parce que, après y avoir consacré tant de temps et d'énergie, elle connaissait à présent les moindres recoins de ce qui deviendrait bientôt une merveilleuse demeure inscrite au patrimoine historique.

Elle emprunta l'allée de graviers, ses pensées revenant sans cesse vers Jonas dont elle sentait partout la présence. Il l'appelait chaque jour de Londres, où il passait une partie de la semaine, afin de surveiller l'avancement des travaux, sa voix profonde lui procurant toujours un frisson de plaisir.

Depuis qu'il lui avait présenté ses excuses, Ravenna considérait sa vie au manoir comme une routine agréable sans toutefois oublier que son sort était toujours entre ses mains.

Elle était cependant consciente de s'être trop investie dans une maison qu'elle allait devoir quitter dès sa dette remboursée. Elle savait aussi qu'elle n'aurait pas dû apprécier autant la compagnie de Jonas qui l'amusait avec ses commentaires pince-sans-rire au sujet des inéluctables retards et contretemps des travaux de restauration.

Il se montrait patient, souple et compréhensif, et surtout reconnaissant de l'aide qu'elle lui apportait, ce dont elle ne l'aurait jamais cru capable.

Une certaine connivence s'était même instaurée entre eux, les mettant sur un pied d'égalité et non plus dans une relation patron-employé.

Jonas n'avait plus essayé de l'approcher. Il gardait ses distances comme si la passion qu'ils avaient partagée n'avait été qu'une illusion.

Sauf que son corps gardait le souvenir du plaisir qu'il lui avait offert : elle se mettait à trembler d'anticipation dès qu'il apparaissait ou qu'elle reconnaissait son parfum viril et citronné.

Parfois, il lui semblait pourtant apercevoir dans son beau regard gris une lueur de désir qui faisait écho à celui qu'elle n'aurait jamais dû éprouver pour lui. Depuis qu'il lui avait présenté ses excuses, l'individu vicieux et vengeur qu'elle avait rencontré à Paris avait laissé place à un homme charmant qu'elle appréciait beaucoup.

Ravenna accéléra le pas, admirant au passage un massif de jonquilles, mais sursauta en entendant un hennissement provenant des écuries. Elle se souvint alors que Jonas avait parlé d'animaux devant arriver la veille.

Les écuries étant restées vides du temps de Silvia, Ravenna n'avait jamais vu de pur-sang de près. Curieuse, elle se dirigea vers la porte.

— Voilà, Hector, c'est mieux comme ça, non ?

Elle s'arrêta net en entendant la voix profonde de Jonas.

— C'est bien, ma beauté.

Bien que sachant que ces mots doux ne lui étaient pas destinés, Ravenna les sentit glisser sur sa peau comme une caresse.

— Pousse-toi, Tim, lança Jonas en riant. Je m'occuperai de toi plus tard.

Incapable de résister, Ravenna s'approcha.

Médusée, elle aperçut Jonas, vêtu d'un jean usé et d'un T-shirt noir moulant son torse musclé, une expression de pur bonheur illuminant son beau visage.

Elle l'avait déjà vu sourire, entendu plaisanter, rire, mais elle ne l'avait jamais vu aussi heureux.

Et qui en était la cause ? Un cheval de trait aux reins creusés qui piaffait tandis que Jonas le pansait et un labrador chocolat qui gambadait entre eux en agitant la queue.

— Attention ! lança Ravenna comme le cheval s'écartait, menaçant d'écraser le chien.

Tous les trois tournèrent la tête en même temps et le chien se précipita vers elle en aboyant avec entrain.

— Il te manque une patte, mon pauvre, s'exclama Ravenna en s'accroupissant devant l'animal qui lui renifla la main et lui lécha le poignet.

— Timothy, viens ici ! ordonna Jonas en s'approchant d'eux. Désolé, il est un peu trop démonstratif.

Ravenna se mit à rire lorsque le chien tenta de lui lécher le visage.

— Ce n'est pas grave, j'adore les chiens.

— Je vois ça.

— Fais attention ! s'écria-t-elle de nouveau.

Trop tard. Le cheval donna un coup de tête puissant, projetant Jonas qui réussit à s'arrêter juste devant Ravenna en éclatant de rire.

— Hector n'a pas apprécié que j'arrête de le brosser…

Jonas tendit la main à Ravenna pour l'aider à se relever. Ils restèrent un instant à quelques centimètres l'un de l'autre, puis il s'éloigna.

— Je te présente Hector, dit-il en flattant l'encolure du cheval.

— Et je suppose qu'il s'agit de Timothy, ajouta Ravenna en regardant le labrador assis à ses pieds. Ce sont les animaux dont tu parlais ?

— Oui, un court-circuit a mis le feu aux écuries de ma voisine et elle m'a demandé d'héberger Hector et Timothy. Ils sont inséparables.

Le chien s'approcha du cheval qui baissa la tête pour le renifler.

— C'est… très gentil à toi de lui être venu en aide.

— Tu sembles surprise !

Ravenna haussa les épaules. Comment lui dire qu'elle ne l'imaginait pas prenant soin d'un chien boiteux et d'un vieux canasson ?

— Je pensais que tu voulais faire venir des pur-sang dans l'idée de les monter.

— Plus tard, peut-être. Pour l'instant, Hector a besoin d'un toit. N'est-ce pas, mon vieux ? ajouta-t-il en le caressant.

— Tu le connaissais déjà ?

— Vivien, notre voisine, l'a sauvé de justesse de l'abattoir lorsque j'étais enfant. Elle accueillait toutes sortes d'animaux — des ânes, des chèvres, des poneys et même un chien à trois pattes et un cheval aveugle.

— Il est aveugle ? s'étonna Ravenna.

En s'approchant de lui elle remarqua ses yeux vitreux.

— Presque. C'est pourquoi il a la chance d'avoir Timothy comme guide. Ils font une sacrée paire, tous les deux.

Il caressa le chien et se pencha pour ramasser l'étrille.

— C'est Vivien qui m'a appris à monter et à m'occuper des animaux.

— Tu allais souvent chez elle ?

— Dès que j'avais un instant de libre.

Ces moments semblaient avoir été précieux pour lui.

— Vous n'aviez pas d'animaux au manoir ?

Jonas, d'ordinaire peu enclin à satisfaire la curiosité d'autrui, fit pourtant exception en voyant Ravenna le fixer de ses grands yeux sérieux tout en grattant l'oreille de Timothy.

— Les animaux n'étaient pas autorisés. Ma mère n'éprouvait aucun intérêt pour eux. Quant à Piers… il n'était jamais assez longtemps à la maison pour donner son avis.

Jonas, toute joie soudain effacée de son visage, vit Ravenna regarder Hector d'un air fasciné.

— Aimes-tu les chevaux ?

— Je ne sais pas. Je n'en avais jamais vu de près.

Jonas se souvint alors de la première fois qu'il était entré dans les écuries de Vivien. Son excitation, mêlée de crainte, s'était vite muée en émerveillement.

— Viens, approche-toi. Tu verras, Hector est très gentil.

Ravenna hésita si longtemps que Jonas crut qu'elle allait renoncer. En la voyant s'avancer, il éprouva un sentiment de satisfaction, comme si elle venait de lui donner une preuve de confiance.

— Tiens.

Il prit sa main, l'ouvrit, et y déposa un morceau de sucre qu'il venait de sortir de sa poche.

Sentant qu'il allait avoir droit à une récompense, Hector souffla dans la main de Ravenna qui fit aussitôt un pas en arrière.

— N'aie pas peur, lui dit Jonas en se plaçant derrière elle et en lui prenant la main pour l'approcher du museau d'Hector. Il ne va pas te mordre.

— Il est si grand !

Elle recula de nouveau. Ses épaules se plaquèrent alors contre la poitrine de Jonas et ses boucles brunes lui chatouillèrent le menton. Sa peau sentait la cannelle et le sucre, un parfum grisant qu'il huma avec délice.

Elle lui manquait. Chaque jour était un supplice car il avait envie de s'approcher d'elle, de caresser sa peau douce et de la goûter jusqu'à plus soif.

— Tu es si beau…, murmura-t-elle lorsque Hector s'empara du sucre et secoua la tête en guise de remerciement.

Jonas s'efforça de juguler l'excitation qui s'était emparée de lui en entendant Ravenna susurrer ces cajoleries à Hector.

— Tiens, dit-il en ramassant l'étrille. Tu peux le panser.

— Comment dois-je m'y prendre ?

Il lui donna l'étrille, mit sa main sur la sienne, et traça avec elle de lentes arabesques sur le flanc de l'animal.

Voyant Hector bouger, Ravenna recula de nouveau. Jonas passa un bras autour de sa taille afin de l'immobiliser et sourit.

— Tu ne crains rien. Hector est un gentleman.

Leurs mains unies tracèrent un large arc de cercle sur l'épaule et le flanc de l'animal.

— Et toi, tu me protèges.

Avait-il bien entendu ? L'indomptable Ravenna avait parlé de protection ?

— Tu allais souvent voir ta voisine et ses animaux ?

— Autant que possible. Je me sentais tellement *vivant* là-bas, il y avait toujours de l'animation.

Il regarda leurs mains bouger à l'unisson tout en pensant qu'il ferait mieux de s'éloigner au plus vite.

— Je me souviens d'avoir toujours vu beaucoup de monde au manoir…

Jonas ôta sa main, laissant Ravenna continuer seule.

— Je n'en ai que des souvenirs de solitude. Les visiteurs ne venaient qu'à l'occasion de dîners formels auxquels les enfants n'avaient pas le droit d'assister.

— On dirait que tu te sentais exclu.

Ravenna fit mine de se retourner, puis choisit de se pencher pour continuer de panser Hector.

Jonas comprit qu'il devait s'éloigner, ôter son bras d'autour la taille de Ravenna avant qu'il ne soit trop tard ! Mais ses pieds restaient cloués au sol.

— Pas toujours…

Il ne voulait pas de sa pitié.

— Lorsque je n'allais pas chez Vivien, j'aimais passer du temps dans la cuisine.

— Tu étais très solitaire.

Jonas remarqua que le mouvement de l'étrille ralentissait au point de s'arrêter. N'ayant pas l'intention d'avouer à quel point son enfance avait été triste, il préféra changer de sujet.

— Je me souviens de toi pleurant à chaudes larmes derrière les écuries car une dénommée Pamela te rendait la vie dure à l'école.

La main de Ravenna retomba sur sa hanche.

— Tu te souviens de ça ?

Elle n'aurait jamais pu inventer cela.

— Je me rappelle avoir éprouvé de la compassion pour toi car, toi aussi, tu te sentais exclue.

Ravenna se raidit tandis que les souvenirs refaisaient surface. Jonas en avait trop vu. Elle comprit alors qu'il avait fait allusion à une chose qu'ils avaient en commun : tous deux étaient des laissés-pour-compte.

Elle se retourna. Jonas était si proche que son pouls s'accéléra.

Un seul geste aurait suffi… un pas en avant, un mouvement de la tête et ils se seraient embrassés. L'atmosphère se fit lourde, soudain, et la chaleur l'envahit. Elle sentit ses doigts trembler, anticipant la douceur de sa peau. S'était-il approché ?

Ravenna cligna des yeux. Avait-elle rêvé ?

Elle s'empressa de contrôler ses pensées.

— Oui, mais toi tu avais ta place ici. Ta famille était installée là depuis des siècles. Moi, je n'avais pas d'attache.

Recule, se dit-elle. *Tout cela est trop tentant, trop dangereux.*

Son corps ne l'écoutait pas. Elle restait face à lui, captivée par son beau visage.

La bouche de Jonas dessina un demi-sourire, plus poignant qu'amusé.

— Tu avais ta mère, Ravenna. Vous êtes très proches. Même, maintenant, je ne peux m'empêcher de penser qu'elle a joué un rôle important dans cette histoire.

Ravenna ouvrit la bouche pour protester mais il lui fit signe de se taire d'un geste de la main.

— Je ne veux pas le savoir, ajouta-t-il de façon surprenante. Je veux juste dire qu'elle a toujours été là pour toi. Elle t'aime.

Ravenna acquiesça.

— Tu vois, tu as eu de la chance.

Plus que lui.

— De qui te sentais-tu proche, Jonas ?

De la gouvernante dont il parlait parfois avec tendresse ? De sa voisine, Vivien ? De ses rares confidences, il ressortait que sa famille ne lui avait prodigué aucune affection.

— De personne.

— Cela te rendait triste ?

Elle réalisa soudain que l'attitude parfois supérieure de Jonas, sa confiance en lui et son besoin de perfection étaient sans doute une réaction à la solitude et l'insécurité dont il avait souffert dans sa jeunesse.

Jonas haussa les sourcils.

— Tous les enfants ont envie de grandir au sein d'une grande famille unie et aimante. J'ai au moins eu la chance d'avoir de quoi manger et de recevoir une excellente éducation.

Son regard la mit au défi d'éprouver de la pitié pour lui.

— Et puis j'avais Deveson Hall… Je savais que ce manoir me reviendrait un jour et que je pourrais alors en faire ce que je voulais.

— C'est-à-dire ?

— J'ai eu tout le temps de rêver, dans mon enfance. Je passais mes journées à explorer le manoir, à m'imprégner de son histoire et à imaginer ce que j'en ferais un jour. Cet endroit est en quelque sorte devenu mon foyer, mon point d'ancrage.

— C'est la raison pour laquelle tu tiens à diriger les travaux de rénovation, n'est-ce pas ?

Ravenna s'était souvent demandé pourquoi il ne restait pas à Londres, laissant à un maître d'œuvre le soin de s'en occuper. Elle en avait déduit qu'il voulait la surveiller.

— Oui, je tiens à ce qu'ils soient effectués correctement.

Jonas se dirigea vers la porte des écuries, Timothy sur ses talons.

— Lorsque le manoir sera prêt, j'ai prévu d'organiser un bal. C'est une tradition familiale, tombée en désuétude, que je veux rétablir cette année.

Jonas se tourna vers elle.

— Je veux que tu y assistes, Ravenna.

Elle sentit son cœur s'emballer, même si elle essayait de se convaincre qu'une gouvernante joue toujours un rôle primordial dans l'organisation d'une réception.

— Bien sûr. Je m'occuperai de l'élaboration du buffet.

— Cela demandera beaucoup de travail, mais je suis certain que nous y arriverons.

Ravenna sursauta de plaisir en entendant ce « nous ».

— Après tout le travail que tu as fourni, je veux que tu sois de la fête, pas dans la cuisine.

Ravenna battit des paupières, une petite lueur d'espoir surgissant soudain dans son esprit. C'était la première allusion au fait qu'il lui avait pardonné l'escroquerie. Cette soirée sonnerait-elle la fin de sa servitude ? Le fardeau qu'elle portait sur les épaules sembla soudain s'alléger.

Même si les derniers mois s'étaient écoulés en douceur, le fait d'en être réduite à travailler comme gouvernante dans ce manoir réveillait ses insécurités d'enfant.

— Ravenna, demanda Jonas avec impatience, tu assisteras au bal ?

Elle sourit, comprenant qu'il s'agissait d'une invitation.

— Bien sûr, comment pourrais-je ne pas fêter la réalisation de ton rêve ?

— La rénovation n'en est que la première partie.

— Qu'as-tu l'intention de faire après ?

Jonas lança un regard vers l'ancienne bâtisse qui, grâce à lui, avait repris vie.

— Je veux faire du manoir mon foyer, ce qu'il n'a jamais été pour moi car je le trouvais inhospitalier.

Il marqua une pause qui s'éternisa.

— Je veux lui donner une âme, et qu'il accueille une famille, une femme qui l'aimera autant que moi. Nous le remplirons d'enfants.

Il se pencha pour caresser Timothy.

— Et d'animaux aussi !

Ravenna s'agrippa à la crinière d'Hector.

Un foyer. Une famille.

Cela n'avait rien de surprenant. Pour quelle autre raison serait-il en train de rénover Deveson Hall ? Jonas n'avait certainement pas l'intention d'y vivre seul !

Nous la remplirons d'enfants.

Son estomac se serra jusqu'à lui en donner la nausée.

En écoutant les projets de Jonas, elle s'était presque imaginée en faire partie. Dans un coin secret de son cœur s'était tapi l'espoir qu'un jour ils puissent oublier le passé et tout recommencer.

Jusqu'à ce qu'il parle d'enfants…

Elle posa sa main sur son ventre qu'elle savait stérile.

Quelques mois auparavant, en apprenant qu'elle avait un cancer, l'infertilité lui avait semblé un moindre prix à payer pour le traitement qui lui donnait une chance de survivre.

Une immense sensation de vide s'empara d'elle.

Elle était folle d'avoir pu songer à construire une relation avec Jonas. Elle n'avait pas sa place dans son monde, et ne l'aurait jamais. Tout s'y opposait : leur histoire, leurs origines sociales et enfin le mensonge…

Et elle ne pourrait jamais donner d'enfant à un homme. Ravenna ravala les larmes qui lui montaient aux yeux. Elle n'avait pas pleuré pendant les longs mois de traitement et n'allait pas commencer maintenant !

Préférant laisser Jonas à ses rêves, elle s'éloigna lentement.

11.

Jonas conduisait son Aston Martin dans les rues de la ville, préoccupé par le silence de Ravenna, assise à ses côtés, pâle et morose.

Au cours des dernières semaines, elle avait changé. Ils s'entendaient toujours bien au plan professionnel mais la connivence, la sensation de bien-être qu'ils avaient éprouvée auparavant avaient disparu.

Il avait peut-être eu tort de ne pas lui dire combien de temps elle allait encore devoir travailler pour lui. La somme qu'elle avait dérobée était conséquente, mais elle avait dépensé une telle énergie dans la rénovation de Deveson Hall et dans l'organisation du bal ! Qui aurait pu la blâmer de vouloir en finir avec leur marché ?

Il avait cependant évité d'aborder le sujet, car il ne pouvait imaginer cet endroit sans elle. Cette sensation lui semblait curieuse tant il était persuadé que personne n'était indispensable dans sa vie et que seule le serait la femme qu'il épouserait une fois le manoir prêt.

Depuis deux ans, il avait passé en revue les jeunes femmes susceptibles de lui convenir, avant de se décider quelques mois plus tôt pour une certaine Helena Worthington. Ravissante, élégante et chaleureuse, il était certain qu'elle ferait une excellente épouse, une mère parfaite et une hôtesse accomplie. Née et élevée sur les

111

terres de ses parents, elle vivait à présent à Londres et travaillait dans une galerie d'art renommée.

Jonas avait entre autres eu l'idée d'organiser ce bal pour la voir évoluer chez lui et s'assurer ainsi d'avoir fait le bon choix. Ils s'étaient déjà rendus ensemble à certaines soirées, et même s'il sentait Helena prête à accepter sa demande en mariage, il préférait avancer avec prudence.

Il devait tout d'abord parler à Ravenna.

Il pouvait lui offrir un salaire conséquent afin qu'elle continue à travailler au manoir en tant que gouvernante, son efficacité et sa conscience professionnelle ne faisant aucun doute. Mais cela ne semblait pas raisonnable, même s'ils avaient prouvé qu'ils étaient capables de travailler ensemble et d'oublier ces quelques heures de faiblesse. Enfin, presque.

Jonas dut reconnaître que pas un jour ne s'était écoulé sans qu'il ne se souvienne dans les moindres détails du plaisir inégalé éprouvé dans les bras de Ravenna. Il aimait être avec elle, adorait son esprit vif, son caractère fort, sa joie de voir la maison prendre vie ainsi que son sourire, lorsqu'elle regardait les pitreries de Timothy et d'Hector.

Depuis quelques semaines, Ravenna avait pourtant changé, perdant à la fois son entrain et les couleurs qu'elle avait prises depuis son arrivée au manoir. Il n'arrivait pas à savoir pourquoi et cela le tourmentait.

— Où veux-tu que je te dépose ? demanda Jonas.

— Tu peux me laisser là, si tu veux.

Ravenna remua nerveusement sur son siège et sa jupe remonta, révélant ses fines cuisses galbées.

Le désir foudroya Jonas. Diable ! Comment était-ce possible alors qu'il envisageait de se marier ! Malgré tous ses efforts pour l'ignorer, l'attirance sexuelle qui existait entre eux n'avait pas diminué.

— A quelle heure veux-tu que je vienne te chercher ?

— Ce n'est pas nécessaire. Je prendrai le train.

— Je peux être de retour dans une heure environ. Donne-moi l'adresse.

— Je t'assure, je…

— Tu ne veux pas que je t'attende ?

— On peut se retrouver dans ce café, répondit-elle en lui indiquant un établissement de la main, mais si tu ne m'y vois pas, ne m'attends pas. Je rentrerai par mes propres moyens.

Jonas sentit l'inquiétude le gagner en comprenant qu'elle n'y serait pas. Au début, il aurait pu la soupçonner de vouloir fuir, mais plus maintenant. Il gara la voiture non loin du café et la regarda ouvrir nerveusement la portière avant de s'éloigner sans un regard en arrière.

Elle avait le droit d'avoir son jardin secret, bien sûr, mais pourquoi était-elle aussi tendue ?

Il attendit qu'elle ait tourné au coin de la rue pour sortir à son tour de la voiture et la suivre.

Ravenna poussa la porte de la clinique et respira à pleins poumons l'air frais de la rue, si vivifiant après l'odeur typique des hôpitaux qui avait fait resurgir de mauvais souvenirs, et l'attente pénible du résultat de ses récents tests.

— Ravenna ?

Elle aperçut alors Jonas s'avançant vers elle.

— Que fais-tu ici ?

— Je t'attendais. Viens, allons-nous-en.

Elle suivit son regard posé sur la plaque accrochée au-dessus de la porte et qui ne laissait aucun doute sur le type de soins pratiqués à l'intérieur.

La prenant par le bras, il l'entraîna dans un restaurant

chic situé à quelques encablures de là où il demanda une table tranquille.

— Que veux-tu boire ?

— Rien, merci.

— Un cognac, s'il vous plaît, demanda-t-il au serveur avant de se retourner vers elle. Ne me dis pas que tu n'as envie de rien alors que tu sors de cet endroit.

Il avait raison. La perspective de ce rendez-vous l'avait minée mais c'était fini, à présent. Elle s'appuya au dossier de la chaise en poussant un soupir.

— Un sauvignon blanc pour moi, je vous prie, demanda-t-elle en souriant au serveur qui leur tendit à chacun un menu avant de les laisser seuls.

— Comment te sens-tu ?

— Bien, merci. Juste un peu fatiguée.

Après l'avoir vue sortir de la clinique, Jonas allait certainement lui poser des questions. Elle se sentait soulagée à l'idée d'y répondre car cela avait été une torture de devoir mentir tout ce temps.

Alors qu'elle ouvrait la bouche pour parler, il se pencha pour lui prendre la main. C'était la première fois qu'il la touchait depuis…

— Pourquoi m'as-tu caché que tu étais malade ? demanda-t-il d'une voix rauque et empreinte d'émotion.

— Je suis en bonne santé !

S'étant sentie déprimée et fatiguée pendant les dernières semaines, elle avait craint une rechute mais pouvait à présent laisser éclater sa joie.

— Dieu soit loué ! Quand j'ai vu où tu étais entrée…

— Tu m'avais suivie ?

— Je me doutais que quelque chose n'allait pas.

Jonas Deveson s'inquiétait pour elle ? Le cœur de Ravenna fit un bond dans sa poitrine mais elle s'exhorta au calme. Il n'y avait rien entre eux et ne pourrait jamais rien y avoir.

— Tu pensais avoir un cancer ?

Il s'appuya contre le dossier de sa chaise, tenant toujours sa main dans la sienne. Ravenna savait qu'elle aurait dû la retirer, mais le contact de sa peau était si agréable…

— J'ai eu un cancer mais je suis guérie, à présent.

— Ravenna, tu…

L'émotion et la stupeur empêchèrent Jonas d'en dire plus.

— J'étais en rémission mais je devais aller passer un autre contrôle ce matin. Cette fois les résultats sont suffisamment bons pour en être sûre.

Le serveur arriva avec les boissons et, sur un signe de Jonas, disparut sans prendre la commande. Sans quitter Ravenna des yeux, Jonas prit son verre de cognac et le vida d'un trait.

— Je suis surpris de savoir… que tu étais malade.

Ses doigts serrèrent ceux de Ravenna.

— Depuis combien de temps ?

Elle hésita. Elle en avait assez de mentir et espérait que Jonas laisserait tomber son idée de revanche envers sa mère en apprenant la vérité. Après tout, il avait déjà obtenu son dû.

— J'ai appris l'an dernier que j'avais une leucémie.

Jonas écarquilla les yeux et resserra la pression de ses doigts.

— S'agissant d'une forme agressive de cancer, les médecins m'ont administré un nouveau traitement qui a heureusement fonctionné.

Un grand sourire illumina son visage.

— Depuis combien de temps étais-tu malade lorsque nous nous sommes retrouvés à Paris ?

— Je sortais juste d'une clinique suisse où j'étais restée en convalescence.

— Pourquoi ne m'as-tu rien dit, à l'époque ?

Elle essaya de retirer sa main mais il ne la lâcha pas. Sentait-il son pouls battre plus fort ?

— Cela n'avait rien à voir avec notre discussion. Ce n'est pas le genre de nouvelle que l'on partage avec des inconnus.

— Peut-être ne voulais-tu pas admettre que tu avais eu besoin d'argent pour payer ton séjour en clinique ?

Elle laissa échapper un soupir.

— Tu es perspicace.

Elle ferait tout pour protéger Silvia, mais se sentait déjà mieux qu'il ait deviné.

— Assez pour comprendre que tu ne pouvais pas être à la fois dans cette clinique en Suisse et dans l'appartement de mon père, en train d'imiter sa signature.

Le cœur serré, Jonas se souvint de Ravenna à Paris, fière et combative, lui lançant sa culpabilité en pâture afin de détourner son attention. Il éprouvait tant de haine envers Piers et Silvia qu'il ne s'était rendu compte de rien malgré la pâleur et la fragilité apparente de la jeune femme.

Dire qu'il l'avait malmenée alors qu'elle était malade !

Il comprenait à présent pourquoi les vêtements de Ravenna lui avaient semblé trop grands. Il avait tiré des conclusions bien hâtives en pensant qu'elle s'était habillée de la sorte pour émouvoir l'antiquaire.

— C'est pour ça, murmura-t-il d'une voix rauque, que tes cheveux étaient si courts…

Ravenna porta la main à la masse de boucles brunes encadrant son beau visage.

— Ils ont bien repoussé depuis.

— Je me souviens qu'ils t'arrivaient dans le bas du dos autrefois.

Et qu'il trouvait ses longues tresses très attirantes !

— Avez-vous fait votre choix ? les interrompit le serveur.

Jonas laissa Ravenna commander pour lui et ils se retrouvèrent enfin seuls.

— Ce n'est pas toi qui as pris cet argent, lança-t-il soudain.

Comment avait-il pu croire à cette histoire ? N'était-il pas évident dès le départ qu'il s'agissait de Silvia ?

A l'annonce du détournement de fonds, il avait laissé libre cours à ses émotions trop longtemps contenues, perdant ainsi son habituelle clairvoyance. Il aurait dû poser davantage de questions à Ravenna lorsqu'elle avait admis avoir signé les chèques.

Sous l'effet de la colère, il avait eu besoin d'un coupable, qu'il avait trouvé en la personne de Ravenna, la fille de la femme responsable d'avoir éloigné son père de sa famille.

— C'était Silvia, n'est-ce pas ?

— Ne lui fais pas de mal, s'il te plaît, Jonas, dit Ravenna en le fixant de ses grands yeux mordorés, je sais qu'elle n'avait pas le droit de prendre cet argent. Moi non plus d'ailleurs.

— Etais-tu au courant de ce qu'elle avait fait ?

— Non. C'est toi qui me l'as appris.

Ravenna était donc innocente depuis le début ! Elle avait endossé la responsabilité de la fraude pour protéger sa mère et avait ensuite travaillé d'arrache-pied pour payer une dette qui ne lui incombait pas.

Jonas était déchiré entre l'admiration qu'il ressentait pour Ravenna et la honte de l'avoir accusée puis obligée à travailler pour lui.

— Maman n'avait pas d'argent à elle. Quant à ton père, il avait des goûts de luxe, la couvrait de cadeaux somptueux mais ne dépensait jamais un centime pour moi. J'aurais dû me douter que ce geste généreux ne pouvait pas venir de lui.

— Tu avais d'autres préoccupations !

— Je voulais peut-être éviter de trop penser à cela car...

Jonas posa un doigt sur les douces lèvres de Ravenna.

— Cesse de te culpabiliser. Tu n'as rien à te reprocher.

— Ma mère était prête à tout pour que je puisse me reposer et reprendre des forces, tant elle était terrifiée à l'idée que je fasse une rechute.

Jonas acquiesça, pour la première fois de sa vie d'accord avec Silvia. Il ne comprenait que trop ses craintes.

— Je t'en prie, Jonas, sois indulgent avec elle.

— Elle aurait dû rester avec toi à Paris et ne pas te laisser endosser la responsabilité de ses actes.

Il sursauta en sentant les doigts fins de Ravenna se refermer autour de sa main.

— Elle ne sait pas que tu as découvert la fraude. Elle devait espérer que personne ne s'en aperçoive ou bien que tu fasses passer cette somme sur les pertes et profits de ton père.

— Quelle naïveté !

Jonas avait travaillé assez durement dans sa vie pour connaître la valeur de l'argent.

— Que comptes-tu faire, Jonas ?

— Rien.

— Tu ne vas pas la poursuivre en justice ?

La stupéfaction qui se lisait sur le visage de Ravenna rappela à Jonas qu'il avait dû passer pour un monstre à ses yeux.

— Je te promets qu'il n'y aura ni poursuite ni condamnation. Comment pourrais-je accuser une mère d'avoir tout fait pour sauver sa fille ?

La cruauté de ce que Ravenna avait enduré le frappa soudain. La maladie, la longue convalescence, puis les

118

problèmes financiers de sa mère et, pour couronner le tout, un idiot assoiffé de vengeance. Comment avait-elle fait pour supporter tout ça ?

Il se souvint du jour où il l'avait trouvée endormie en plein jour, en déduisant qu'elle était paresseuse. Sa gorge se serra en réalisant qu'elle devait être exténuée.

— Pardonne-moi, Ravenna. Je n'avais pas le droit de te menacer et de rejeter ma colère sur toi. Je n'aurais jamais dû t'imposer ce travail.

— Tu ne pouvais pas savoir, répondit-elle en souriant d'un air las. Tout va bien, si tu n'as pas l'intention de demander à Silvia de te rembourser.

Elle semblait attendre confirmation.

— Il n'y a plus de dette. Oublie l'argent, il a été utilisé à bon escient.

La respiration de Jonas s'accéléra lorsqu'il vit Ravenna sourire.

— Merci, Jonas. Tiens, voici notre déjeuner

Le serveur déposa les assiettes avant de s'éclipser.

— Nous avons eu tort tous les deux en tirant des conclusions hâtives qui nous ont fait dire des choses que nous regrettons. Peut-être pourrions-nous faire la paix, car j'ai une faim de loup ?

— Mange, alors, lui dit-il en indiquant son assiette.

— Nous sommes donc quittes ? lui demanda-t-elle, cherchant son regard.

— Absolument.

— C'est très généreux de ta part. Ma mère appréciera tout autant que moi.

Peu lui importait ce que pourrait penser Silvia. Seule Ravenna l'intéressait. Une idée s'imposa soudain à son esprit.

— J'imagine que tu vas quitter Deveson Hall, maintenant.

Ravenna prit son temps avant de répondre :

— Tu veux que je parte dès que possible ?

— Non !

Sa réponse avait fusé. Il ne voulait pas qu'elle parte. Pas encore.

— Tu as mis tant d'énergie pour faire revivre cette maison que j'aimerais que tu restes jusqu'au bal. A condition que tu en aies envie, bien sûr.

Comme Ravenna gardait les yeux fixés sur son assiette, Jonas sentit la tension monter en lui.

Il suivait son instinct sans savoir où cela le mènerait, sachant simplement qu'il se sentirait très seul si elle décidait de partir. Il avait besoin de temps. Pour la remplacer, se dit-il pour se rassurer.

— Merci.

Elle continua de fixer son plat lui donnant l'impression qu'elle ne voulait plus communiquer avec lui.

— J'accepte. Je serai ravie de voir le manoir terminé, et ce sera mon premier bal.

12.

Quelle idée d'avoir accepté ! Elle aurait dû partir le jour même, mais l'annonce de sa liberté toute proche ne lui avait pas apporté le plaisir escompté.

Malgré ce que lui avait dit Jonas, Ravenna avait continué de travailler sans relâche pour tenter d'oublier les sentiments qu'elle éprouvait pour lui, encore plus forts depuis qu'il lui avait présenté ses excuses.

Après le bal qui devait avoir lieu le lendemain, elle partirait, puisque rien ne la retenait ici. Sauf Jonas.

Ravenna emprunta le long couloir menant à sa chambre.

En passant devant un arrangement floral posé sur une console, elle effleura le doux pétale d'une rose, se souvenant aussitôt des doigts de Jonas sur sa peau nue et de son regard lumineux tandis qu'elle tressaillait de plaisir sous ses caresses…

Cela ne pouvait plus continuer.

Elle savait qu'ils n'avaient aucun avenir ensemble et que Jonas faisait tout pour oublier ce qui s'était passé entre eux : elle s'en rendait compte à son expression coupable chaque fois qu'il la regardait.

Ravenna ouvrit la porte de sa chambre et se figea en apercevant une boîte sur son lit, portant le nom d'une des plus grandes maisons de couture parisiennes. Seule une personne pouvait l'avoir laissée là.

Elle souleva d'une main tremblante le couvercle et

déplia une somptueuse robe longue d'un délicat camaïeu de bronze, bleu et améthyste avec de fines bretelles rebrodées de perles.

Elle la mit contre elle et se tourna vers la glace, étonnée de ne pas se reconnaître. On aurait dit une princesse.

Elle n'était pourtant la princesse d'aucun bal et surtout pas de celui de Jonas Deveson !

Une immense peine l'envahit soudain. Ce cadeau extravagant était le fruit de la culpabilité et de la honte de Jonas, persuadé d'obtenir son pardon avec une sublime robe du soir. Il pensait pouvoir l'acheter mais elle n'était pas à vendre.

Ravenna ramassa à la hâte le précieux vêtement qu'elle avait laissé tomber à ses pieds et le remit dans sa boîte.

— C'est merveilleux, Jonas. Tu as fait un travail extraordinaire !

Helena leva vers lui ses grands yeux bleus brillant d'admiration, ses lèvres pulpeuses dessinant un sourire enchanteur.

Jonas la tenait dans ses bras, conservant une certaine distance, tandis qu'ils dansaient. Les miroirs de la grande salle de bal reflétaient la lumière des innombrables chandeliers, des somptueuses robes du soir et des bijoux.

Tous les invités semblaient ravis de l'ambiance féerique de la soirée. Seul Jonas éprouvait un sentiment d'insatisfaction.

— Je suis heureux que tu apprécies.

Pourquoi n'était-il pas capable de se montrer plus enthousiaste avec la femme qu'il envisageait d'épouser ? Le manoir était exactement ainsi qu'il l'avait souhaité. Rien ne l'empêchait à présent de franchir le pas nécessaire à la réalisation de son rêve.

Les yeux d'Helena avaient autant d'éclat que la rivière

de saphirs autour de son cou. Il savait qu'elle attendait qu'il se déclare.

— Quels sont tes projets, Jonas, à présent que les travaux sont terminés ? demanda-t-elle d'une voix mélodieuse.

Il tenait dans ses bras une ravissante jeune femme, intelligente, généreuse et d'agréable compagnie. Pourquoi diable demeurait-il insensible à son charme ?

— Mes projets ?

Elle renversa la tête pour mieux le regarder, libérant un effluve de parfum subtil. Parfait, comme elle.

Sauf qu'elle ne l'était pas, ou du moins plus, à ses yeux. Quelque chose avait changé.

— Qu'as-tu l'intention de faire ? Résider ici à temps complet et te rendre de temps en temps à Londres pour ton travail ?

Son sourire ôtait de l'importance à la question, mais Jonas devinait son espoir.

C'était le moment idéal pour parler de leur avenir.

— J'ai dans l'idée d'ouvrir les jardins au public une fois que le paysagiste aura terminé son travail.

— Ils sont déjà magnifiques.

L'étonnement qui se lisait dans les yeux d'Elena laissait supposer qu'elle avait espéré aborder un autre sujet. Jonas lui fut reconnaissant de ne pas le presser de questions.

— Et si nous allions prendre une coupe de champagne ? lui proposa-t-il lorsque la musique se tut.

Il la guidait à travers la foule lorsqu'il aperçut un groupe d'hommes autour d'une femme vêtue d'une robe jaune.

Jonas sentit les battements de son cœur s'accélérer en apercevant Ravenna de profil, un sourire charmeur aux lèvres. Aussitôt, le désir qu'il n'avait pas ressenti au contact d'Helena se nicha au creux de son ventre.

Que pouvait-il faire ? Se précipiter vers elle et l'attirer à lui pour montrer qu'elle n'était pas libre ?

A cet instant, Ravenna fit demi-tour et le jupon de sa robe s'ouvrit en corolle. Contrairement à la plupart des femmes, elle portait une robe qui s'arrêtait aux genoux, découvrant ses fines jambes galbées, et pour tout bijou une paire de boucles d'oreilles. Elle était si belle et gracieuse qu'elle n'avait besoin d'aucun artifice.

Pourquoi ne portait-elle pas la robe qu'il lui avait offerte ? Il accéléra le pas.

— Tout va bien, Jonas ?

En entendant la voix d'Helena, il s'arrêta et lui adressa un sourire figé.

— Bien sûr. Je voulais dire un mot à ma gouvernante, mais cela attendra.

L'effort qu'il devait faire pour se retenir était surhumain.

— C'est la jeune femme qui porte une robe de brocart ? Quel tissu magnifique ! Je n'en ai jamais vu de pareil.

Ravenna s'éloignait du groupe lorsqu'un des associés de Jonas l'intercepta et l'entraîna sur la piste de danse. La lumière d'un chandelier fit scintiller sa robe…

— Je dois bien admettre qu'il est spécial, marmonnat-il, incrédule.

Son arrière-grand-mère avait créé le dessin de ce tissu qui avait ensuite été fabriqué spécialement pour elle. Quelques semaines auparavant, il était encore accroché aux fenêtres de l'un des salons !

Ravenna avait refusé de porter son cadeau, préférant se draper dans de vieux rideaux défraîchis ! Avait-elle fait exprès de le provoquer ?

— Je devrais aller la féliciter, lança Helena. Elle a fait un travail remarquable.

— Plus tard, réussit à répondre Jonas. Allons d'abord boire ce champagne…

Ravenna se réfugia dans une alcôve pour reprendre des forces. Cela faisait des mois qu'elle n'avait pas autant parlé. Deux de ses interlocuteurs s'étaient montrés un peu trop pressants à son goût, mais leur galanterie avait au moins eu le mérite de servir de baume à son ego malmené. Lorsqu'elle avait admis être la gouvernante du manoir, plusieurs personnes l'avaient même félicitée et assaillie de questions au sujet de la restauration.

Bien sûr, quelques regards féminins insistants lui avaient rappelé ses camarades de classe qui lui avaient fait comprendre, à l'époque, qu'elle dépassait les limites en se permettant de chercher à les fréquenter. Mais elle n'était plus une enfant manquant d'assurance, à présent. Elle avait répondu poliment mais froidement à certaines remarques et s'était dirigée vers d'autres cercles, refusant de laisser des préjugés gâcher le seul bal auquel elle ait jamais assisté. Cette expérience renforçait pourtant ce qu'elle savait déjà : Jonas faisait partie d'un monde où elle n'avait pas sa place et ne l'aurait jamais.

Son regard se posa soudain sur un magnifique couple évoluant au milieu de la salle de bal : Jonas Deveson et Helena Worthington, moulée dans un magnifique fourreau de satin bleu nuit ; elle se penchait vers lui, un sourire charmeur aux lèvres.

Un élan de jalousie étreignit la poitrine de Ravenna. S'agissait-il de la femme que Jonas allait épouser ? Elle avait entendu certains invités parler de l'annonce imminente de leurs fiançailles…

Ravenna porta sa coupe de champagne millésimé à ses lèvres dans l'espoir de faire disparaître le goût amer apparu dans sa bouche.

S'était-elle attendue à ce que Jonas la choisisse, elle, plutôt que cette jeune femme visiblement parfaite pour lui ?

Elle avala une autre gorgée de champagne, le laissant d'abord pétiller sur sa langue avant de le faire couler dans sa gorge serrée.

C'est alors que leurs regards se croisèrent. Ravenna retint son souffle, sentant le regard désapprobateur de Jonas sur elle.

Pourquoi semblait-il contrarié ? Si le seul fait de la voir le dérangeait à ce point, il valait mieux qu'elle quitte le manoir au plus vite.

Sentant un sanglot lui nouer la gorge, elle se détourna à la hâte et se retrouva face à face avec Adam Renshaw, le paysagiste.

— Ravenna ! s'exclama-t-il avec un sourire chaleureux qui lui alla droit au cœur. Je te cherchais. Veux-tu danser ?

Elle devait aller de l'avant. Vidant sa coupe de champagne d'un trait, elle répondit avec grâce :

— Rien ne me ferait plus plaisir…

Ravenna éteignit les dernières lumières et resta un moment au milieu de la salle, savourant le silence. Le bal avait eu un énorme succès et elle s'était amusée, du moins essaya-t-elle de s'en persuader.

Elle avait certes dansé pendant des heures, bu du champagne et dégusté pour la première fois de sa vie du caviar en compagnie d'Adam mais…

— Tu m'as évité toute la soirée.

Une ombre se détachait sur le mur. Le cœur de Ravenna fit un bond dans sa poitrine.

— Tu m'as fait peur.

— As-tu fait exprès de garder tes distances ?

Elle ne pouvait distinguer les traits de Jonas, mais sa voix était coupante.

— Tu semblais très pris par tes invités et j'étais moi aussi occupée.

— C'est ce que j'ai cru voir, rétorqua-t-il en s'avançant vers elle. Tu as laissé Renshaw s'occuper de toi toute la soirée.

— Nous avons beaucoup de points communs.

— Il va bientôt partir, dès qu'il aura fini son travail, Ravenna.

— Moi aussi.

Elle avait l'intention de quitter le manoir au petit matin. Le fait de voir Jonas et Helena ensemble lui en avait donné la force.

Il avança un bras comme s'il allait la toucher, mais le laissa retomber.

— Vous allez partir ensemble ?

Ravenna fronça les sourcils.

— Je pensais que nous nous étions mis d'accord : ce que je fais à partir de maintenant ne te regarde pas.

— Je vois… J'en déduis que c'est la raison pour laquelle tu n'as pas étrenné la robe que je t'avais offerte.

— Pardon ?

— Tu ne voulais pas que Renshaw te voie porter un vêtement offert par un autre homme.

— Adam n'a rien à voir avec ma décision, et nous ne sommes pas *ensemble*, comme tu dis.

Jonas s'approcha davantage et l'odeur virile de sa peau chatouilla les narines de Ravenna.

— Pourtant, à la façon dont il se serrait contre toi…

— Nous étions en train de danser !

Et lui alors ? Elle avait bien vu la manière dont il tenait Helena dans ses bras !

— Bonne nuit, Jonas. Je vais me coucher.

— Seule ?

Ravenna frissonna en voyant Jonas lui bloquer le passage.

— Cela ne te regarde pas. Pourquoi ne vas-tu pas

retrouver Helena au lieu de me harceler de questions ? lança-t-elle dans un élan de bravoure.

— Elle n'est plus là.

— Je l'ai pourtant vue à tes côtés lorsque tu as pris congé des invités.

Ravenna s'était d'ailleurs éclipsée dans la cuisine pour éviter de les voir ensemble.

— Elle est partie.

— Moi aussi, je m'en vais.

Jonas la saisit par le bras.

— Pas avant que tu ne m'aies expliqué pourquoi tu ne portes pas ma robe.

— J'aurais eu l'impression d'avoir été achetée.

Elle essaya de combattre l'émotion qui lui nouait la gorge.

— Je sais que tu me l'as offerte pour te débarrasser de moi. C'était inutile, je t'ai déjà dit que nous étions quittes. Je n'ai pas envie de porter ta culpabilité.

La main de Jonas remonta le long du bras de Ravenna pour se refermer sur son épaule.

— Tu te trompes.

Elle ferma les yeux. Il suffisait qu'il parle et qu'il la touche pour qu'elle perde ses moyens !

— Laisse-moi partir, Jonas.

En guise de réponse, il prit son visage entre ses mains, l'obligeant à le regarder.

— Tu te trompes, répéta-t-il. Je veux être avec toi, Ravenna, et n'ai jamais cessé de le vouloir. J'en ai eu la confirmation ce soir.

Jonas la regarda, mémorisant chaque détail de son visage.

Il laissa glisser sa main de son épaule jusqu'au creux de ses reins et l'attira contre lui.

— C'est impossible, répliqua-t-elle.

— Fais-moi confiance, murmura-t-il en posant ses lèvres dans son cou.

Un soupir, très doux aux oreilles de Jonas, s'échappa des lèvres de Ravenna qui, s'arc-boutant, lui offrit sa gorge. Elle était sucrée comme le miel, douce… irrésistible.

— Je sais que tu as envie de moi aussi.

— Non, ce n'est pas bien. Et Helena ?

Cette faible tentative de lui résister s'acheva en un soupir lorsqu'il l'embrassa dans le cou.

— Je l'ai renvoyée chez elle.

Comment pouvait-il penser à se marier avec elle alors que Ravenna accaparait ses pensées ?

— C'est toi que je veux, Ravenna. Je t'ai observée toute la soirée, rêvant d'être seul avec toi pour pouvoir faire ça.

Joignant le geste à la parole, il fit glisser ses lèvres le long de son décolleté jusqu'à la douceur parfumée de ses petits seins fermes dont il mordilla les bouts à travers le tissu de sa robe. En l'entendant soupirer de plaisir, il la plaqua contre le mur.

— Tu as envie de moi aussi, n'est-ce pas ?

Même s'il sentait son corps frémir sous ses caresses, il avait besoin de le lui entendre dire.

— Ravenna ? Dis-le-moi.

— Je ne peux pas.

Sa voix n'était plus qu'un murmure ténu.

— Tu ne peux pas ou ne veux pas ?

Jonas pressa son sexe dur contre ses hanches, faisant remonter sa main sous la robe, effleurant des bas de soie avant de caresser sa peau nue. Lorsqu'il glissa ses doigts entre ses cuisses, il la sentit haleter.

— Dis-le, Ravenna.

Elle le rendait fou ! Un frisson le parcourut alors qu'il caressait la soie de son slip.

Il savait qu'il ne pouvait pas aller plus loin sous peine de perdre tout contrôle.

Lorsque Ravenna posa la main sur sa chemise, la laissant glisser le long de son ventre, il tressaillit et sentit son sexe durcir davantage.

— Je sais que je ne devrais pas, mais j'ai envie de toi, Jonas, murmura-t-elle.

Ils oublièrent alors toute retenue. Jonas, mêlant ses doigts à ceux de Ravenna, déboutonna son pantalon. La sensation de ses mains agiles faisant glisser la fermeture faillit avoir raison de sa maîtrise et lorsque ses doigts se posèrent sur sa chair embrasée…

L'attrapant par les hanches, il la souleva tandis que, sans le lâcher des yeux, elle enroulait les jambes autour de sa taille.

Il tenta d'écarter sa fine culotte mais, dans son empressement, la dentelle céda.

Une lueur d'excitation brilla alors dans les yeux de Ravenna qui resserra les jambes autour de lui. Incapable de résister davantage, Jonas s'enfonça dans sa chaleur moite et soyeuse.

— Tu es à moi…, murmura-t-il en sentant un frisson s'élever du plus profond d'elle.

Il éprouvait une joie sauvage et possessive à lui donner tant de plaisir. Un plaisir dont témoignaient son visage rayonnant, les cris qu'elle poussait tout en prononçant son nom et les tremblements qui l'agitèrent. Elle jouit si vite et fort qu'il ne put se contenir davantage et la rejoignit dans une extase d'une telle intensité qu'il faillit la lâcher.

Elle était à lui. Rien ne lui avait jamais semblé aussi évident.

13.

Après qu'ils eurent de nouveau fait l'amour, cette fois sur le canapé, Ravenna reposait, la tête de Jonas sur sa poitrine et sa main sur sa hanche.

Elle le berça tandis que son souffle chaud, délicieusement intime sur sa peau nue, se faisait plus régulier.

Elle avait du mal à se rendre compte de ce qui venait de se passer, malgré la langueur de son corps rassasié. Elle aurait pu rester ainsi pendant des heures, mais aperçut bientôt l'aube pointer à travers la fenêtre.

Le moment était venu de quitter Deveson Hall. Et Jonas.

Une douleur vive lui comprima la poitrine, l'empêchant de respirer.

Jonas s'étira. Il embrassa avec sensualité l'un de ses seins avant d'en prendre le téton dans sa bouche et de le sucer doucement. Une onde de plaisir se propagea jusqu'à son bas-ventre, se transformant bientôt en tension vibrante.

L'idée de partir lui était insupportable, mais elle n'avait pas le choix et elle se força à détacher son regard de lui.

— Il faut se lever, maintenant.

Jonas leva la tête, la fixant de ses yeux gris.

— Ravenna ? Regrettes-tu ce que nous avons fait ?

Bien sûr qu'elle le regrettait, sachant pourtant qu'elle

en garderait un merveilleux souvenir et qu'elle ne pourrait jamais oublier Jonas.

— Cela n'aurait pas dû arriver.

— C'était inévitable, répondit-il.

— Rien ne l'est.

Sauf peut-être sa faiblesse pour lui. Elle avait pris conscience des sentiments qu'elle éprouvait à son égard tandis qu'elle dansait avec d'Adam Renshaw, faisant son possible pour éviter de regarder le beau couple qui évoluait au milieu des invités.

— Tu vas l'épouser.

En voyant l'air stupéfait de Jonas, elle comprit que les rumeurs étaient fondées et sa peine s'intensifia.

— Laisse-moi, lança-t-elle en tentant de le repousser.

Elle ne pouvait plus supporter de le regarder à présent que son silence avait confirmé ses craintes.

— Nous devons parler, dit-il sans toutefois bouger.

Comment pouvait-elle trouver la force de discuter alors qu'ils étaient nus l'un contre l'autre ?

— Jonas, je t'en prie, laisse-moi.

Il attendit un long moment avant de se lever d'un bond.

Désespérée, Ravenna réalisa alors qu'elle ne pourrait jamais plus le caresser. Evitant son regard, elle s'assit, avec pour seuls vêtements son porte-jarretelles et ses bas de soie.

— Tiens, dit soudain Jonas en posant sa veste de smoking sur ses épaules nues.

Elle la resserra autour d'elle, subjuguée par l'odeur de son parfum.

Jonas enfila son pantalon et se retourna vers elle.

— Tu te trompes. Je ne vais pas épouser Helena.

— Tu as changé d'avis ? Tu veux en épouser une autre ?

— Non, je me suis juste rendu compte que je ne pouvais pas me marier avec elle.

Il la fixa de son regard d'acier.

— A cause de toi.

En proie à un mélange d'exultation et d'incrédulité, Ravenna sentit sa tête se mettre à tourner.

— Je ne comprends pas.

Il mit les mains dans ses poches. Le regard de Ravenna s'attarda sur les muscles puissants de ses bras et de son torse. Il avait utilisé cette force virile pour lui donner du plaisir, la prenant avec une passion fervente qui lui avait permis de se sentir femme comme jamais auparavant.

— C'est vrai, j'avais prévu de demander à Helena de m'épouser. C'est une jeune femme séduisante, intelligente et chaleureuse, et nous venons du même milieu. Elle aurait fait une excellente femme et une mère parfaite.

En entendant Jonas énumérer les vertus d'Helena, le cœur de Ravenna se serra. Jamais elle ne serait assez bien pour lui.

— J'ai compris ! lança-t-elle avant qu'il ne continue. Tu veux une femme parfaite.

— Ce n'est pas si simple…

Incapable de rester assise à l'entendre évoquer ses projets de mariage, elle bondit sur ses pieds et s'approcha de la porte-fenêtre, préférant voir le jour se lever.

— Comment pourrais-je l'épouser alors que je ne cesse de penser à toi ? J'ai passé la soirée à te regarder dans les bras d'Adam Renshaw et cela m'a rendu presque fou.

Surprise, Ravenna fit demi-tour, l'apercevant à quelques pas d'elle.

— Pourtant toi et moi… nous n'étions même pas…

— Amoureux ? demanda-t-il en fronçant les sourcils. En es-tu certaine, Ravenna ?

Sentant le regard de Jonas glisser sur son corps, elle resserra les pans de la veste.

— J'ai envie de toi, murmura-t-il d'une voix rauque qui bouleversa les sens de Ravenna. J'ai essayé de garder mes distances, surtout après m'être rendu compte à quel point je m'étais trompé à ton sujet, mais cela n'a fait que décupler mon désir.

Il fit un pas en avant, mais s'arrêta en la voyant tendre la main, comme pour se protéger.

— Et c'est la raison pour laquelle je ne peux pas me marier avec Helena. Je te veux ici avec moi, Ravenna.

Le souffle coupé, Ravenna posa la main sur son cœur comme pour essayer d'en ralentir le rythme.

Il voulait qu'elle reste avec lui ?

Malgré sa prudence, Ravenna était tombée amoureuse de Jonas et elle s'imagina, l'espace d'un instant, partageant avec lui non seulement son corps, mais sa vie tout entière. L'idée était si séduisante qu'elle faillit en oublier la réalité.

Elle ne pouvait pas lui donner ce qu'il voulait.

Elle ne serait jamais la femme dont il avait besoin.

Sentant ses jambes flageoler, elle s'appuya contre la vitre avant de se retourner pour lui faire face.

— Qu'attends-tu de moi, Jonas ?

Jonas n'avait jamais vu une femme aussi sexy que Ravenna. Il sentit son sang bouillonner dans ses veines.

Lui faire l'amour deux fois ne l'avait pas comblé. Le serait-il un jour avec cette femme si mystérieuse et séduisante, qui ne semblait pas se rendre compte du désir qu'elle suscitait en lui ?

— Je veux que tu sois ici, avec moi, avoua-t-il en souriant.

Soulagé d'avoir enfin admis la vérité, il comprit que Ravenna en avait aussi envie que lui en voyant un voile d'émotion passer dans son regard.

Il avançait la main pour effleurer sa joue quand elle plongea son regard dans le sien.

— Tu me veux en tant que maîtresse, Jonas ?

— C'est un mot que je préfère ne pas utiliser.

— Peut-être gouvernante *et* maîtresse alors ? demanda-t-elle en haussant la voix d'un ton. Pour ne pas déroger aux traditions familiales ?

Jonas eut l'impression d'avoir reçu un coup en pleine poitrine. Ce qu'ils avaient partagé avait été merveilleux. Pourquoi essayait-elle de tout gâcher ?

— Je refuse de faire à ta fiancée ce que maman et Piers ont fait à ta mère.

— Je ne suis pas comme lui ! rétorqua-t-il, sentant sa colère monter. De plus, je t'ai déjà dit ce qu'il en était avec Helena.

Que devait-il faire pour qu'elle admette ce qu'il y avait entre eux ? Ne se rendait-elle pas compte qu'il avait franchi un pas énorme en abandonnant ses projets de mariage pour elle ?

— Mais tu finiras bien par en trouver une autre, n'est-ce pas ?

Jonas lui saisit la main, la plaqua contre son torse et respira profondément, se laissant envoûter par son odeur de cannelle.

— Je te veux, Ravenna, et toi aussi tu me veux. C'est aussi simple que ça.

De sa main libre il effleura sa joue, puis sa gorge, la naissance de ses seins, jusqu'à son nombril. Le plaisir l'envahit en sentant sa peau frémir sous ses caresses. Sa main continua de descendre le long de son ventre et se glissa entre ses jambes humides, là où il s'était perdu peu avant et avait envie de s'abandonner encore.

— Tu te souviens comme c'était bon ?

Il s'agissait plus d'une supplique que d'une question. Pourquoi se montrait-elle aussi distante ?

— Je ne te demande pas de trahir qui que ce soit, Ravenna. Je ne suis pas en train de parler d'une liaison secrète.

Devant son air soulagé, il fronça les sourcils.

— Me croyais-tu capable de te demander d'être ma maîtresse après ce que ma mère a enduré à cause de mon père et de ses infidélités ?

— Tu finiras par vouloir ce dont tu as toujours rêvé : la femme parfaite.

— Je sais seulement que je ne peux pas épouser Helena alors que je te désire à ce point.

Il n'avait jamais été aussi honnête : il se sentait mis à nu, vulnérable.

— Je ne suis pourtant pas la femme qu'il te faut.

En voyant la peine qui voilait le regard de Ravenna, Jonas prit conscience d'une chose qui ne l'avait jamais effleuré.

Ravenna n'avait peut-être pas les origines et l'éducation qu'il avait souhaitées pour sa future femme, mais elle était honnête, chaleureuse et loyale. Avec elle, il se sentait vivant et comblé.

— Pourquoi pas ?

Tout lui semblait soudain clair.

— Nous sommes faits l'un pour l'autre et pourrions être très heureux ensemble.

Ravenna s'éloigna vers l'extrémité de la fenêtre, serrant ses bras autour d'elle en guise de protection. Que lui arrivait-il ?

— Je ne corresponds pas à la femme que tu recherches, tu te souviens ? railla-t-elle. Je ne suis pas de bonne famille et n'évolue pas dans le même milieu que toi.

— Je n'en ai que faire.

C'était vrai. Rien de tout cela n'avait d'importance au regard du désir qu'il ressentait pour cette femme sublime qui pour une raison mystérieuse essayait de le repousser.

— Imagine ce que les gens pourraient penser : je

suis une enfant illégitime et qui plus est la fille de la maîtresse de ton père.

— Grand bien leur fasse ! Tu n'es pas du genre à te laisser impressionner par des commérages.

Et si cela se produisait, il ferait en sorte d'être là pour la protéger.

Jonas eut envie de la prendre dans ses bras pour lui faire oublier ses doutes, mais il la respectait trop pour faire abstraction de ses préoccupations. Après tout, c'était lui qui avait avoué vouloir épouser une aristocrate.

— Ravenna, je t'assure que depuis que je t'ai retrouvée plus rien de cela n'a d'importance pour moi.

— Tu finiras tôt ou tard par te demander pourquoi tu m'as choisie. Contrairement à Helena, je n'ai jamais porté de bijoux ni de robes haute-couture. Ma mère avait pour habitude de tailler mes vêtements dans des tissus de récupération.

— On dirait que tu as hérité de son habileté, répliqua-t-il en souriant. Les rideaux de soie du salon n'avaient jamais été aussi beaux que sur toi.

— Tu ne m'écoutes pas ! rétorqua-t-elle avec impatience.

Il adorait son caractère passionné.

— Bien sûr que si, mon cœur, mais rien ne m'empêchera de vouloir être avec toi. Je suis certain que nous serons heureux. Nous partagerons notre amour du manoir avec nos enfants.

A cette idée, un sentiment d'excitation s'empara de lui, jusqu'à ce qu'il croise son regard désespéré. Elle tendit une main tremblante pour le tenir à distance.

— Ravenna ?

A présent, il était inquiet.

— C'est impossible, réussit-elle à articuler. Tu veux faire de Deveson Hill une maison de famille, avec des enfants qui auront ton sang et hériteront les traditions familiales. En m'épousant tu serais obligé de renoncer à tout cela.

Elle laissa échapper un soupir qui glaça le sang de Jonas.

— Je ne peux pas te donner d'enfant, Jonas. Le traitement contre le cancer m'a rendue stérile.

Tandis que Jonas absorbait en silence le choc de sa révélation, Ravenna fit demi-tour et quitta la pièce.

14

Ravenna marchait lentement dans une ruelle de la capitale italienne en songeant au déjeuner qu'elle allait préparer pour sa mère. Les effluves de basilic s'échappant de son panier lui renvoyèrent soudain l'image de Jonas, un rare sourire aux lèvres, en train de goûter sa recette de *pesto*.

Depuis une semaine qu'elle était arrivée dans le petit appartement de Silvia, elle ne parvenait toujours pas à éloigner ses pensées de lui.

Le soleil de midi dardant ses rayons, elle accéléra le pas. Elle avait pris la bonne décision de partir le lendemain du bal. Rester avec lui jusqu'à ce qu'il décide de choisir une épouse capable de lui offrir tout ce qu'il voulait était inconcevable. Elle l'aimait trop pour se contenter d'une simple liaison.

L'expression d'horreur qui s'était inscrite sur le visage de Jonas lorsqu'elle lui avait avoué être stérile continuait à la hanter, mais avait-elle espéré qu'il en soit autrement avec un homme qui s'était donné pour mission de fonder la famille idéale qu'il n'avait jamais pu avoir ?

Bien sûr, elle essayait de se consoler à l'idée que Jonas ait éprouvé des sentiments assez forts pour vouloir l'épouser. Mais en réalité rien ne pouvait apaiser son chagrin.

Elle entra dans un vieil immeuble et monta l'escalier.

Une fois sur le palier, elle prit une profonde inspiration et afficha un semblant de sourire.

— C'est moi, maman ! dit-elle en ouvrant la porte.

— Bonjour, Ravenna.

Avec ses cheveux bruns ébouriffés, un jean et une chemise de lin blanc ouverte sur son cou bronzé, il était beau à couper le souffle.

— Jonas !

— Donne-moi ça, dit-il en lui prenant le panier des mains.

— Où est ma mère ?

— Ne t'inquiète pas, elle est sortie afin de nous laisser seuls un moment.

Qu'avait-il bien pu lui dire pour la convaincre de partir ?

— Que fais-tu ici, Jonas ?

— Pouvons-nous parler ? demanda-t-il en indiquant d'un geste le minuscule salon.

Comment pouvait-elle refuser ?

— Je préfère aller dans la cuisine.

Préparer le déjeuner l'aiderait peut-être à écouter ce qu'il avait à lui dire tout en canalisant ses émotions.

Le cœur battant à tout rompre, elle le précéda dans la minuscule cuisine et commença à vider le panier qu'il avait posé sur la table.

— Pourquoi es-tu là, Jonas ?

— Tu ne veux même pas me regarder ?

— Dis-moi juste ce que tu as à me dire.

— Je suis désolé.

— Tu n'as aucune raison de l'être, dit-elle d'une voix étranglée. Tu as fait preuve d'honnêteté. Je ne pouvais rien demander de plus.

Elle s'activait, épluchant et éminçant un oignon avec dextérité, soulagée de prétendre se concentrer sur sa recette plutôt que sur l'homme debout à quelques pas d'elle !

Elle rêvait pourtant de prendre son visage entre ses mains, de se blottir contre lui pour sentir la chaleur de son corps. Elle se souvint alors de la façon dont il l'avait soulevée dans ses bras, le dernier soir, pour les mener tous deux à l'extase.

— Je ne peux pas, murmura-t-elle d'une voix tremblante en posant son couteau.

Craignant de s'effondrer, elle s'assit sur le banc.

— Je préférerais que tu partes tout de suite.

— Il n'en est pas question.

Le visage de Jonas était à quelques centimètres du sien.

— Je t'aime, Ravenna. Je n'ai pas l'intention de partir.

— Tu... ?

— *Ti amo*, murmura-t-il, les yeux brillants.

— Je ne te crois pas. Tu n'as rien...

Il s'approcha d'elle et repoussa une mèche de cheveux derrière son oreille. Ce geste tendre fit s'emballer son cœur.

— Je sais. Je n'ai rien dit plus tôt car je ne l'avais pas compris.

Ravenna secoua la tête.

— Tu as le droit de penser que je suis stupide, poursuivit-il avec un petit sourire, mais tu sais, mon cœur, c'est la première fois que je suis amoureux et je ne sais pas m'y prendre.

— Ce n'est pas de l'amour, c'est du désir.

— C'est tout ce que c'était, pour toi ?

— Non, je... Tu as des remords et tu éprouves de la pitié pour moi.

— Pitié ? Certainement pas. En voyant que tu étais partie sans m'avertir, j'avais plutôt envie de te tordre le cou. Sais-tu à quel point je me suis fait du souci pour toi ? Il aurait pu t'arriver n'importe quoi.

— Je m'en sors très bien toute seule.

Il plongea son regard dans le sien.

— Je sais, dit-il enfin, et c'est là le problème. J'ai peur que tu n'aies pas besoin de moi comme j'ai besoin de toi.

Ravenna se laissa enfin aller à remarquer ce qu'elle avait essayé d'ignorer : la peine qui se lisait sur les traits de Jonas. Sans même réfléchir, elle posa une main sur sa joue.

— J'étais fou d'angoisse à l'idée de ne plus jamais pouvoir te persuader de revenir. Je te désire, Ravenna, mais je t'aime aussi. Je suis amoureux de toi depuis des semaines, voire des mois, mais je n'en ai pris conscience que le soir du bal.

Le cœur de Ravenna fit un bond dans sa poitrine.

— Et je pense que tu m'aimes aussi.

— Bien sûr que je t'aime.

C'était bien là le pire.

Lorsque Jonas l'attira dans ses bras, Ravenna en aurait crié de plaisir, mais au lieu de cela elle tenta de le repousser.

— Mais cela ne change rien.

Il l'embrassa dans le cou.

— Arrête, Jonas. Ecoute-moi.

— Je suis tout ouïe, murmura-t-il contre son oreille avant de lui en mordiller le lobe. Et cela change tout, car jusqu'à aujourd'hui je n'étais pas sûr que tu m'aimais.

— Je t'aime, Jonas, laissa-t-elle échapper tandis qu'il parcourait sa gorge de baisers fougueux.

Sous l'emprise de l'émotion, elle sentit de chaudes larmes couler sur ses joues.

— Ne pleure pas, mon cœur, supplia-t-il, je te promets de tout faire pour te prouver mon amour.

— Lâche-moi.

Elle essaya de se libérer de son étreinte, mais il la retint.

— Je n'arrive pas à réfléchir lorsque je suis dans tes bras.

Jonas effleura de son pouce la bouche de Ravenna.

— Je tâcherai de m'en souvenir la prochaine fois que nous ne serons pas d'accord.

— Il n'y aura pas de prochaine fois. Nous…

— Bien sûr que si ! Tu es une femme de caractère et moi, je suis habitué à faire ce que je veux ! Je t'en prie, arrête de me dire que nous n'allons pas rester ensemble. J'ai cru devenir fou sans toi.

Il souleva le menton de Ravenna, l'obligeant à le regarder.

— J'ai mis trop de temps à te retrouver et n'ai pas l'intention de te laisser partir une seconde fois.

— Tu oublies pourtant une chose.

Désespérée, Ravenna croisa le regard tendre de Jonas sachant qu'elle n'avait d'autre choix que de le repousser.

— Arrête, Ravenna. Si je dois choisir entre avoir des enfants ou être avec toi, je n'hésite pas une minute : c'est toi que je veux.

Il avait l'air si sûr de lui. L'espace d'un instant, Ravenna se laissa gagner par l'espoir avant de se ressaisir :

— Je sais que tu le penses, Jonas, et ne t'en aime que davantage.

Ravenna ne s'était jamais sentie aussi chérie et plus en sécurité que dans les bras de Jonas, mais elle trouva pourtant le courage de se libérer de son étreinte.

— Je ne peux pas te laisser faire cela, sachant à quel point tu souhaites fonder une famille. Tu finiras par regretter ton choix un jour.

— C'est *toi* ma famille, Ravenna. Tu es la seule personne importante pour moi. Comment pourrais-je te laisser partir ?

— Je ne veux pas anéantir tes rêves, Jonas.

— Des rêves d'enfant en mal d'affection. Je suis un homme, à présent, et je sais que j'ai besoin de toi. Pour toujours. Si nous voulons des enfants, poursuivit-il, nous pouvons en adopter, ou bien choisir de vieillir ensemble malgré tout. Combien de personnes ont la chance de vivre avec l'être aimé, Ravenna ? Ne me demande pas de renoncer à notre amour. C'est au-dessus de mes forces.

Pour la première fois, Ravenna se laissa aller à espérer. Elle retint son souffle en voyant Jonas sourire.

— Je t'en supplie, ne me rejette pas.

— Je ne me sens pas le droit de t'imposer cela, rétorqua-t-elle en un ultime effort pour le convaincre.

— Tu veux me voir finir ma vie seul ?

— Tu ne le resterais pas longtemps.

— J'imagine que tu as raison, répondit-il en poussant un soupir exagéré, surtout avec Silvia installée dans le pavillon de la propriété.

— Quelle idée ! Tu la détestes !

— Je lui ai pourtant proposé de s'y installer, ne serait-ce que pour être sûr de te voir. Puisque c'est elle qui a fait de toi la femme que tu es aujourd'hui, elle doit avoir des qualités cachées !

Il prit une longue inspiration.

— Cela risque de demander un peu de temps, mais je veux bien repartir de zéro avec elle.

Jonas était prêt à faire cela pour elle ? Il était vraiment merveilleux !

— Je n'arrive pas à croire qu'elle ait accepté.

— Elle souhaite te voir heureuse, mon ange, et cela fait de nous des alliés inattendus.

— Elle a pensé que cela pourrait arranger les choses entre nous ?

— C'est un bon début, tu ne trouves pas ?

Jonas chercha le regard de Ravenna et poursuivit d'un air grave :

— Nous ne pouvons pas augurer de l'avenir, Ravenna, mais je sais que je ne me sentirai jamais complet si tu n'es pas avec moi. Je veux que tu deviennes ma femme — il l'empêcha de protester en posant un doigt sur ses lèvres — et tu peux travailler en tant que chef, si le rôle de châtelaine ne te convient pas. Tu peux même provoquer les gens en transformant de vieux rideaux en robes du soir au lieu de t'acheter des vêtements. Tu peux faire ce que tu veux, à condition de me promettre de rester avec moi. Je t'aime, Ravenna Ruggiero, et je n'envisage plus ma vie sans toi.

Le cœur battant à tout rompre, Ravenna essuya sa joue du revers de la main.

— Ce n'est pas juste, réussit-elle à murmurer, comment pourrais-je refuser ?

Le sourire éclatant de Jonas vint à bout de ses dernières défenses.

— Alors, dis oui, dis que tu vas m'épouser.

— J'accepte de vivre avec toi.

Malgré la joie qui l'avait envahie, elle préférait rester prudente. Il finirait bien un jour par se rendre compte de l'erreur qu'il avait faite en épousant une femme stérile.

— Très bien. Tu viens vivre avec moi, et nous nous marierons le mois prochain.

— C'est impossible ! répondit Ravenna en souriant.

Jonas pencha la tête et l'embrassa dans le cou, sur la joue puis sur la bouche jusqu'à ce qu'elle capitule.

— Dans cinq ans, si tu veux.

— Deux mois, rétorqua-t-il, les yeux brillants.

— Quatre ans…

Le temps qu'il comprenne son erreur et qu'elle ait engrangé suffisamment de souvenirs pour pouvoir continuer sans lui.

— Trois mois.

Jonas laissa glisser sa main jusqu'à la hanche de Ravenna, effleurant son sein au passage.

La respiration de celle-ci s'accéléra. Elle ne se sentait plus capable de réfléchir.

— Trois ans.

— Ne sois pas si dure avec moi.

Jonas se pencha de nouveau vers elle et posa sur ses lèvres un doux baiser qui vint à bout de sa résistance.

Incapable de réprimer son amour plus longtemps, elle prit le beau visage de Jonas entre ses mains tremblantes et lui rendit son baiser avec passion.

Jonas recula soudain d'un pas, un sourire charmeur aux lèvres.

— En ce qui concerne le délai dont tu parlais, j'ai une contre-proposition...

Epilogue

Assise à l'ombre d'un marronnier, Ravenna regarda Jonas, les yeux bandés, tomber par terre, entraîné par de petites mains enthousiastes. Chiara et Josh éclatèrent de rire en écoutant leur père pousser un grognement théâtral avant d'essayer de les chatouiller. Suivis de Ben, le fils de Vivien, ils se mirent à crier et tentèrent de lui échapper, mais, du haut de leurs cinq ans, ils ne faisaient pas le poids face à Jonas.

Des hurlements de joie s'élevèrent dans la clairière.

— Au secours, maman !

Ravenna s'apprêtait à se lever, un sourire aux lèvres.

— Ne bouge pas, j'y vais, intervint Silvia.

Ravenna se rassit, ravie de profiter du spectacle de sa petite famille.

Elle avait résisté aussi longtemps que possible à la proposition de Jonas, acceptant pour finir de se marier avec lui un an jour pour jour après qu'il fut venu la chercher en Italie. Il avait déployé des trésors d'ingéniosité pour la persuader et elle avait chéri chaque preuve d'amour qu'il lui avait donnée.

Fidèle à sa parole, Jonas avait invité Silvia à loger dans le pavillon Dower lorsqu'elle leur rendait visite et elle avait fini par accepter d'y vivre de façon permanente. Tous deux faisaient de leur mieux pour oublier leur rancœur.

Jonas avait fait la paix avec son passé, comme si l'amour de Ravenna lui avait donné la force d'accepter l'échec de la relation de ses parents et d'admettre que Piers et Silvia, malgré leurs erreurs, avaient éprouvé de réels sentiments.

Ravenna avait savouré chaque instant passé près de Jonas et leur bonheur avait grandi lorsqu'ils avaient adopté les jumeaux, trois ans plus tôt. Bien que Jonas lui ait inlassablement répété qu'elle était tout pour lui, leur amour était si fort et profond qu'il lui avait semblé naturel de le partager.

— Pas toi, Toby !

Jonas s'écroula en riant tandis que leur nouveau chien, un jeune basset artésien, se mêlait à la partie, donnant de petits coups de langue intempestifs.

Les gloussements des enfants réveillèrent un autre chiot qui somnolait aux pieds de Ravenna et partit les rejoindre en jappant.

— Tu aurais pu venir me sauver !

Ravenna, un sourire radieux aux lèvres, sentit comme toujours son cœur battre plus vite en voyant Jonas approcher. Elle avait été folle de douter de son amour.

— Viens t'asseoir avec moi, dit-elle en tapotant la couverture étendue près d'elle.

— Je n'attendais que ça, répondit-il en jetant un regard par-dessus son épaule. Penses-tu que Silvia s'en sorte toute seule ?

— Bien sûr. Regarde, elle se régale.

Jonas s'installa et passa un bras autour de ses épaules.

— Comment te sens-tu, ma chérie ?

— Très bien, répondit Ravenna en se blottissant contre lui.

Elle était rayonnante. Elle avait attendu longtemps avant de se permettre d'espérer mais le médecin lui avait assuré que tout se déroulait normalement. Le miracle s'était produit.

— Jonas, j'ai quelque chose à te dire.

— C'est une bonne nouvelle, j'espère ?

— Mieux encore, répondit-elle avec un doux sourire. Nous devons marquer une date dans le calendrier.

Le regard de Jonas suivit sa main qui glissait doucement sur son ventre.

Ayant entendu un cri étouffé, les jumeaux se retournèrent mais voyant leurs parents, comme à l'accoutumée, en train de se câliner, ils reportèrent leur attention sur les chiots.

Silvia, le sourire aux lèvres, vit Jonas se lever, prendre délicatement sa femme dans ses bras et la serrer contre lui tandis que le rire cristallin de Ravenna résonnait dans le jardin.

Jonas Deveson était la meilleure chose qui soit jamais arrivée à sa fille.

La vie était belle.

Du nouveau dans votre collection *Azur*

Découvrez la nouvelle trilogie
de Melanie Milburne

Riches, impitoyables et irrésistibles…
La réputation des frères Caffarelli n'est plus à faire. Mais
leur fortune et leur pouvoir ne leur serviront à rien face
à l'amour.

3 romans inédits
à retrouver en octobre, novembre et décembre 2014

Rendez-vous dans vos points de vente habituels ou sur
www.harlequin.fr

éditions **H HARLEQUIN**

Découvrez la nouvelle saga *Azur*
de 8 titres inédits

La
Fierté des
Corretti
PASSIONS SICILIENNES

*Et si seul l'amour avait le pouvoir
de sauver les Corretti ?*

1er avril

1er mai

1er juin

1er juillet

1er août

1er septembre

1er octobre

1er novembre

Rendez-vous dans vos points de vente habituels
ou en e-book sur www.harlequin.fr

éditions **H HARLEQUIN**

Ne manquez pas, **dès le 1er novembre**

LA MARIÉE DE MARBELLA, *Carol Marinelli* • N°3525

Mariage Arrangé

Un costume sur mesure soulignant un corps athlétique, de profonds yeux noirs dans lesquels elle pourrait se perdre... Juan Sanchez Fuente est trait pour trait l'homme au bras duquel Estelle se serait imaginée quand elle rêvait, enfant, de son mariage. Hélas, le rêve s'arrête là. Car entre Juan et elle, il ne s'agit pas d'un mariage d'amour, mais d'une simple union de convenance, uniquement destinée à permettre à ce dernier de toucher son héritage. Si ce procédé fait horreur à Estelle, elle n'a pu se résoudre à refuser la proposition du richissime Espagnol. Pas quand l'importante somme d'argent qu'il lui offre en échange lui permettra de venir en aide à sa famille qui en a tant besoin...

UN SI TROUBLANT MENSONGE, *Lucy King* • N°3526

Si Zoe s'est inventé un fiancé, c'était sur une impulsion, pour impressionner ses anciennes camarades de classe dont les moqueries cruelles l'ont tant fait souffrir, autrefois. Et si elle a embrassé le séduisant inconnu qui venait d'entrer dans le bar où elles étaient réunies, c'était pour rendre son mensonge plus crédible. Hélas, quand les journaux du lendemain annoncent ses fiançailles avec Dan Forrester, le célibataire le plus convoité de Londres, Zoe sent que la situation lui a échappé. Mais puisque le mal est fait, pourquoi ne pas faire une folie, elle d'habitude si raisonnable ? Pour une nuit, elle voudrait tant oublier sa réserve, et connaître la passion dans les bras de cet homme dont un seul baiser a éveillé en elle un feu brûlant...

LA BRÛLURE DU SECRET, *Alison Fraser* • N°3527

Enfant Secret

Jack Doyle ! Lorsqu'elle reconnaît l'homme qui se tient sur le pas de sa porte, Esme est stupéfaite. Jamais elle n'aurait pu imaginer que le mystérieux milliardaire qui s'apprête à racheter le domaine familial n'était autre que Jack, le fils de leur ancienne cuisinière. Jack, entre les bras duquel elle a passé une brûlante nuit de passion, dix ans plus tôt, avant qu'il ne disparaisse du jour au lendemain. Jack, surtout, qui ignore tout de l'existence de Harry, le petit garçon qu'elle eu de lui. Une ignorance dans laquelle elle doit à tout prix le maintenir : elle refuse qu'il mette en péril la vie et le fragile équilibre qu'elle a construits pour son fils...

UN PLAY-BOY POUR AMANT, *Miranda Lee* • N°3528

« Je veux la meilleure : vous. » En entendant ces mots, Vivienne sent l'excitation la gagner. Certes, elle s'était promis de prendre des vacances, le temps de se remettre de la récente trahison de son fiancé, et de faire un point sur sa vie. Mais sa vie, n'est-ce pas justement son métier de décoratrice d'intérieur, qu'elle aime plus que tout ? Et le projet de rénovation que lui propose Jack Stone est particulièrement enthousiasmant. A condition, bien sûr, de parvenir à maîtriser le trouble intense que cet homme éveille en elle… Car retomber dans les bras d'un play-boy est bien la dernière chose dont elle a besoin.

PAR DEVOIR, PAR PASSION, *Kimberly Lang* • N°3529

Lorsque Brady Marshall lui propose d'intégrer son équipe de campagne, Aspyn est stupéfaite. Ne vient-elle pas de mettre les Marshall dans un embarras terrible en organisant une manifestation sous leurs fenêtres ? Pourtant, une fois revenue de sa surprise, Aspyn comprend que cette offre pourrait être l'occasion rêvée de défendre plus efficacement les convictions qui lui tiennent tant à cœur : pour elle, la protection de l'environnement est un engagement de tous les instants. Et tant pis si cela signifie aussi côtoyer, chaque jour, cet homme qu'elle considère comme un ennemi. Un ennemi terriblement séduisant, qu'elle saura remettre à sa place s'il le faut…

L'HÉRITIÈRE DE TARRINGTON PARK, *Carole Mortimer* • N°3530

Andrea a tout perdu : le père qu'elle aimait tant, le fiancé auprès duquel un avenir radieux s'offrait à elle, et la vie qu'elle a toujours connue. Aujourd'hui, elle n'a d'autre choix que de vendre Tarrington Park, le domaine familial, à Linus Harrison, aussi célèbre pour ses succès en affaires qu'auprès des femmes. Aussi, quelle n'est pas sa surprise lorsque l'arrogant milliardaire lui demande de devenir son assistante. Outre un salaire très confortable, ce travail lui permettrait de rester vivre dans les dépendances du domaine. Pourtant, Andrea hésite : pourquoi cet homme impitoyable se montre-t-il si généreux ? Et, s'il entreprend de la séduire, sera-t-elle capable de résister au trouble profond qu'il éveille en elle ?

LE SERMENT DU DÉSERT, *Lynn Raye Harris* • N°3531

Quand le cheikh Malik Al Dakhir, celui qui est encore son époux bien qu'elle ne l'ait pas revu depuis un an, lui apprend que selon les lois de son pays, ils ne peuvent divorcer qu'après avoir vécu quarante jours comme mari et femme sur le sol de Jahfar, Sydney sent l'angoisse l'envahir. Pourra-t-elle supporter une telle proximité, alors qu'elle a déjà dû rassembler tout son courage et toute sa volonté pour exiger le divorce ? Car si Malik n'éprouve qu'indifférence pour elle – comment expliquer, sinon, qu'il n'ait pas cherché à la retenir lorsqu'elle l'a quitté, après avoir compris qu'il considérait leur mariage comme erreur ? – elle n'a, quant à elle, jamais cessé d'aimer cet homme passionné et charismatique qui l'a séduite au premier regard…

L'ULTIMATUM D'UN MILLIARDAIRE, *Cathy Williams* • N°3532

Détestable. Il n'y a pas d'autre mot pour qualifier Damien Carver. Mais pour éviter la prison à sa jeune sœur, qui vient de dérober d'importants documents à cet homme, Violet est prête à tout. Même à accepter son odieux marché : jouer auprès de lui le rôle de sa fiancée dévouée, pendant toute la semaine que la mère du milliardaire doit passer à Londres. Un moyen pour lui de rassurer cette dernière, gravement malade. Si cette comédie lui fait horreur, Violet se demande bientôt si elle ne prend pas un risque encore plus grand qu'elle né le croyait. Car, au fil des jours, elle a de plus en plus de mal à réprimer le désir intense que cet homme éveille en elle...

UNE TUMULTUEUSE PASSION, *Melanie Milburne* • N°3533

- *Irrésistibles héritiers - 2ème partie*

Depuis le terrible accident de jet-ski dont il a été victime, Raoul Caffarelli n'a plus qu'une obsession : s'isoler. Il refuse que quiconque le voie dans cet état de vulnérabilité, lui, le play-boy intrépide et indomptable. Aussi, quand son frère engage, sans même le prévenir, Lily Archer, une physiothérapeute renommée, est-il bien décidé à la renvoyer chez elle sans cérémonie. Mais à peine la jeune femme pénètre-t-elle dans son bureau qu'il sent un désir fou l'envahir. Un désir tel qu'il croyait ne plus jamais en ressentir. Au point qu'il décide de lui laisser sa chance, tout en se promettant de briser la réserve glaciale qu'elle lui oppose...

SCANDALE AU PALAZZO, *Maisey Yates* • N°3534

- *La fierté des Corretti - 8ème partie*

Alessia est furieuse. Comment Matteo Corretti ose-t-il l'ignorer alors qu'elle a renoncé à tout par amour pour lui ? Car c'est bien pour lui, l'homme qu'elle aime depuis l'enfance, qu'elle a refusé le mariage de convenance qui devait assurer son avenir et celui de sa famille. A-t-elle eu tort de croire que leur brûlante nuit d'amour signifiait quelque chose ? N'est-elle pour lui qu'une maîtresse parmi d'autre ? Si cette hypothèse lui brise le cœur, elle sait pourtant qu'aujourd'hui, compte avant tout l'enfant qu'elle porte. L'enfant de Matteo. Et pour le forcer à l'écouter et assumer ses responsabilités, elle est prête à tout. Même à livrer son bouleversant secret à la presse, si c'est le seul moyen d'attirer son attention !

Attention, numérotation des livres différente
pour le Canada : numéros 1962 à 1971.

www.harlequin.fr

Composé et édité par HARLEQUIN

Achevé d'imprimer en septembre 2014

La Flèche
Dépôt légal : octobre 2014

Pour l'éditeur, le principe est d'utiliser des papiers
composés de fibres naturelles, renouvelables, recyclables,
et fabriquées à partir de bois issus de forêts qui adoptent
un système d'aménagement durable. En outre, l'éditeur attend
de ses fournisseurs de papier qu'ils s'inscrivent dans
une démarche de certification environnementale reconnue.

Imprimé en France